鶴見俊輔、詩を語る

（聞き手）
谷川俊太郎
正津勉

作品社

鶴見俊輔、詩を語る

聞き手＝谷川俊太郎・正津勉

俊輔さん

会って話を聞く
書かれた言葉を読む
懐かしく思い出す
俊の一字の
縁に結ばれて
私の鶴見俊輔像は
揺るがない

谷川俊太郎

言語による記憶と
生の思い出の水源は
時空を余所に
汲めども尽きない
味わいと手触りで湧き続け
私たち老若男女を
潤してくれる

母に烙印された
この長老は
あの世の視線で
この世を学び
自ずから自分を鍛え
幼な子そのまま
今を喜ぶ

目次

歌学の力

詩集『もうろくの春』

鶴見　（正津さんは）私のゼミ[*1]の人間で、顔は知っているんだよ。で、訪ねてきて、つまり、この部屋の二倍ぐらいのうちに住んでいて、そこに座ってジーッと一時間ぐらい黙っていた①〔以下○囲み数字は、巻末「アンソロジー」を参照〕。
正津　そんなことありましたっけ。覚えてない。
谷川　それで鶴見さんは黙って対応してらしたんですか。
鶴見　なんかかんかお愛想みたいなのを言ったんだけど、ことごとく却下されたんだ（笑）。
谷川　ゼミで何を教わっていたの？
正津　僕は一九六四年に同志社大学に入ったんですよ。多分、先生、六一年からいらしたと思うんですが、新聞学科〔文学部社会学科新聞学専攻〕という雑学なんです

＊1　鶴見は、一九六一年、同志社大学文学部社会学科教授赴任。七〇年、大学紛争での警官隊導入に反対して同志社大学教授を退職。正津は、最後の鶴見ゼミ生。

よ。で、僕は三年生からかな、ゼミをとったんですけどね。なにも覚えてないんですよ。ほとんど学校に出ないし、記憶はあまりないですけどね。

鶴見 とても悪い生徒だったのが突如訪ねてきたもので、それで一時間ぐらいジーッと。

谷川 何か言いたいことがあったんでしょうね。

正津 何かあったのかもわからないね。青年時代だから、いろんなこと。

鶴見 谷川さんのほうは覚えている。新宿の中村屋だった。それで、初めまして、というわけなんだ。あのとき初めて会ったんだよね[*2]。

谷川 ほんと、すごい記憶力だな。僕は覚えてないけど。

正津 先生、お元気ですね。僕が学生のときはまだ先生は四十代でしたっけ。

鶴見 八十年生きてきて、それで一度だよ、そういう体験は。びっくりしたな。

正津 そんなことがありましたっけ。頭がおかしかったのかな。

谷川 鶴見さんの創作かもしれないよ。

鶴見 いや、私の妻君[*3]がちゃんと。

谷川 あ、証人として。

鶴見 このうち〔京都岩倉の鶴見邸〕の庭ぐらいのうちに住んでいたんだ、衣笠〔京都

＊2 鶴見俊輔・谷川俊太郎対談「初対面 日常生活をめぐって」(『現代思想』一九七六年五月号)。後に『人生相談 谷川俊太郎対談集』(朝日文庫、二〇二二)に収録。

＊3 横山貞子(よこやま・さだこ 一九三一〜)英文学者。群馬県富岡町出身。六〇年、鶴見と結婚。京都精華大学名誉教授。

市北区）の。

谷川　詩集（『もうろくの春』[*4]）出版おめでとうございます、と言ったほうがいいのかな（笑）。すごくかわいいきれいな詩集ですよね。

鶴見　これ、手づくりだったんですよ。手づくりで、これは私の作品じゃないんです。全部、黒川創[*5]がつくって持ってきた。だから私にとっては初対面なんです。名前だけはわりあいに早くから、子供のときから温めていた題で。

谷川　「もうろく」という言葉を使おうと思ってやったんですか。詩集を出すんなら、という意味？

鶴見　それが「もうろく」というのは私は小さいときからリハーサルしているわけなんだよ。いま初めて「もうろく」に入ったわけじゃないんだ。そういうことがあるんだよ。つまり、うちに帰れなくなったり、全然見たこともない世界が見えたり、学校に行けなくなっちゃったり。もともとは、その頃、精神病理学で子供にうつ病はないということになっていたんだ。だけど、いま、あると。だから十二から十五までだいたい三年間うつ病だったと思うんだ。で、おふくろ（鶴見愛子）が精神科病院に連れていくんだけど、おふくろが一緒に個室に入っちゃうから治りっこないんだよ。おふくろがつくっているんだからねー。（お茶を持ってきて

＊4　『もうろくの春　鶴見俊輔詩集』（編集グループＳＵＲＥ、二〇〇三）

＊5　黒川創（くろかわ・そう　一九六一〜　本名、北沢恒）評論家・小説家。父である評論家の北沢恒彦が『思想の科学』の編集を務め、自身も同志社大学卒業後、鶴見に誘われ編集委員となり評論活動を開始。妹の北沢街子は編集グループＳＵＲＥ主宰。著書に『鶴見俊輔伝』（二〇一八）ほか。

くださった奥様に）あのね、この人（正津氏のこと）、うちに来て黙っていたこと覚えてないって言うんだよ。黙って、非常に困ったんだ。驚いたね。

谷川　じゃ、鶴見さんがどなたかに対してそう黙って座ってるということをなさった経験がおありなんでしょうか。

鶴見　おふくろが私を精神科病院に連れていって、精神科病院の医者に、この子は朝から一言ものを言いませんと言うんだよ。だけどね、おふくろがいなきゃしゃべるんだ。ついにそのおふくろが、観察者が観察されるということがわかってないんだよ。

谷川　でも、そういう経験がおありになるからやっぱり非常によく覚えていらっしゃるんですね。なんか自分とちょっと似たようなやつが。

鶴見　接ぎ穂がないし、手掛かりがないんだよ、全然。あのね、埴谷雄高[*6]の世界だな。もう『死霊』[*7]の世界。黙狂（笑）。

正津　先生のおうちに伺ったらたくさんの本があったのを覚えています。ああいう生活はしたくないなと思いました。

鶴見　それはいいな。それはただ一つの教訓だった（笑）。

正津　すごく勉強になりました。玄関先までずうっと本で、威圧されたように思

＊6　埴谷雄高（はにや・ゆたか　一九〇九～九七　本名、般若豊）台湾生まれ。作家、思想家。鶴見の著作に『埴谷雄高』（講談社、二〇〇五）がある。

＊7　『死靈（しれい）』は、埴谷による未完の思弁的長編小説。一九三〇年代より構想され全十二章を予定し、中断を挟みながら半世紀以上執筆が続いたが、第九章まで書き進められたところで埴谷の死により途絶。登場人物の一人に黙狂の矢場徹吾がいる。

いました。でも、自分もよく似たような生活になりましたけどね。

鶴見　だから、ここには本はほとんどないでしょ。

正津　なんかしゃべったけど。だいたい、先生のゼミにいると頭おかしくなるんですよ。そういうゼミだったですよ。

谷川　それはどういうこと？

正津　あのね、とにかくすごく自由だったです。それだけはよく覚えてます。なんでもいいから発表しろと言うんですよね。いろんなことに対して自由だったですね。で、僕が覚えているのは、ゼミでは「荒地」についてしゃべったりしましたけど、だれもわからない。

谷川　荒地派[*8]？　それともエリオットの「荒地[*9]」？

正津　荒地派。

谷川　もうその頃、詩書いてた？

正津　書いてましたね。

谷川　鶴見さんのお書きになった詩は。

正津　読みました。

谷川　もう、その当時？

＊8　T・S・エリオットの同名詩にちなみ一九三九年に鮎川信夫、森川義信らが雑誌『荒地』を創刊。第二期は一九四七年〜四八年。加島祥造、北村太郎、木原孝一、黒田三郎、田村隆一、中桐雅夫、三好豊一郎、吉本隆明らが同人として集結し、一九五一年から五八年まで年刊『荒地詩集』を刊行。「荒地派」と呼ばれ、戦後詩を牽引した。

＊9　「荒地」《原題The Waste Land》は、T・S・エリオットの長編詩。一九二二年発表。第一次大戦後の精神的風土の荒廃とその再生の希望を表現し、後続世代に多大な影響を与えた。

正津　ええ。先生、お忘れだと思うんですが、詩を確か「ゲリラ」という有馬敲[*10]さんがやっている雑誌に発表されて、恥ずかしそうに見せられたのは覚えています。

谷川　あ、そう。正津さんはそれに対してなにか批評がましいことを言ったわけですか。

正津　いや、とても言えませんし、言わなかったですけど。「ゲリラ」とか、のちに「ほんやら洞」〔京都市の出町柳にあった文化前衛の集う喫茶店〕系の雑誌に出していたんじゃないかな。それで、確か文藝春秋から『不定形の思想』（一九六八）という本が出るときだったんですけど、自分に相談されたんですよ、先生。

谷川　えっ、正津さんに鶴見さんが？

正津　ええ。覚えていらっしゃいます？　僕、今度の本に詩を載せたらおかしいかな、君、と。僕は、ぜひ載せてください、すごくいいと思いますよ、と申しました。

谷川　正津さん、見直したよ。偉いんだな（笑）。

正津　先生は多分忘れていらっしゃると思うんですけど。それで、『不定形の思想』の中に入った詩を覚えているんです。そらんじているんですけど、黒川さん

＊10　有馬敲（ありま・たかし　一九三一〜）詩人。フォークソング運動と協同し日本各地で自作詩の朗読キャラバンを行い〝オーラル派〟と呼ばれた。

がつくった本[*11]には入ってないんです、僕が好きなのは。

谷川　著作集[*12]に入っている？

正津　ええ。「KAKI　NO　KI」[i]というローマ字で書かれた詩なんですが、これ好きです。[②]

それにいま一つ挙げるとしたら「寓話」[ii]です。これが先生も愛読していると伺った京都の詩の長老、天野忠[③]さんの『動物園の珍しい動物』（文童社　一九六六）を彷彿させるような素敵な作品で好きです。

i

KAKI　NO　KI

Kaki no ki wa
Kaki no ki de aru
Koto ni yotte
Basserarete iru no ni

＊11『もうろくの春』のこと。後に『鶴見俊輔全詩集』（編集グループSURE、二〇一四）に収録。

＊12『鶴見俊輔著作集』全五巻、筑摩書房、一九七五〜七六。

Naze sono kaki no ki ni
Kizu o tsuke yô to
Suru no darô

Kaki no ki no kawa ni
Tsume ato ga nokore ba
Utsukushiku naru to omotte iru no ka

Basserareru koto ni yotte
Yoku naru to demo omotte iru no ka

（『鶴見俊輔全詩集』編集グループＳＵＲＥ、二〇一四年　より）

ii

寓話

きのこのはなしをきいた
きのこのあとをたぐってゆくと
もぐらの便所にゆきあたった
アメリカの学者も知らない
大発見だそうだ

発見をした学者は
うちのちかくに住んでいて
おくさんはこどもを集めて塾をひらき
学者は夕刻かえってきて
家のまえのくらやみで体操をしていた

きのこはアンモニアをかけると

表に出てくるが
それまで何年も何年も
菌糸《きんし》としてのみ地中にあるという

表に出たきのこだけをつみとるのも自由
しかしきのこがあらわれるまで
菌糸《きんし》はみずからを保っている
何年も何年も
もぐらが便所をそこにつくるまで

（同前『鶴見俊輔全詩集』より）

エリセーエフは私より日本語がうまかった

鶴見　今日はどういう話になるのかわからないけれども、とにかく部屋〔京都市一乗寺のレストラン、グリル「猫町」〕を取ってあるから早く終わりたいんだ（笑）。二人に会うということは私にとっては非常にはっきりとした記憶のあることなんで、谷川さん、大学行ってないのよね、どこも。それから正津さんは大学にはいたんだけれども、あまり勉強した形跡がない。で、私はさみだれ的に行ったんだけども、学校にいたのは全部きちんと数えてみると十一年半なんだ。だから私は谷川さんより少なくしか学校行ってないのよ。[*1]

谷川　ええっ。

鶴見　ほんと。私より少なく学校行っている人はね、金達寿[*2]なんだ。あれ、十年なんだ。膨らませてなんとか大卒なんだけど、全部数えてみると十年。私は十一

＊1　一九二九年四月〜一九三五年三月、東京高等師範学校附属小学校。一九三五年四月〜一九三六年七月、府立高等学校尋常科。同年九月〜一九三七年七月、府立第五中学校。一九三八年九月〜一九三九年秋、寄宿制男子予備校ミドルセックス・スクール。同年秋〜一九四二年五月ハーヴァード大学。このうち、予備校の一年間を除けば十一年半となる。

年半なんだ。卒業しているのは小学校と大学だけなんだ。間ないんだよね。だから、それが今日の仲間の共通性じゃないかと思ったんですけどね。学校出て、学校というものといくらか対立するものを自分の中に持っているということじゃないかな。で、わりあいにそれが日本の長い間の伝統にはつながっていると思うんですよ。

というのは、日本は非常に早く歌の学問、歌学というものができたでしょ。だから紀貫之なんていうのは一種の歌学についてのエッセイを『古今集』の序文に置いていますよね。ああいうものがずうっとあって、高杉晋作とか坂本龍馬とかああいうところまできているんですよね。明治というのはだいたい半分ぐらいまではそういう人たちがしゃべってて、それこそ大岡信《まこと》が書いている、辞世があるというのは大変珍しい文化でしょ。あれ、やっぱりある種の歌学なんですね。だから、それが明治六（一八七三）年から学校制度が変わっちゃって、もう一つのカガク、科学というのを入れちゃったわけで、いまの大臣の答弁なんかを聞いていると、たとえば川口（順子）大臣[*3]なんていうのはあれは東大出ているでしょ。非常にできたに違いないんだ、子供のときから。そうするとなんかそれをもとにして政策を言うんだけど、日本の政策、それには歌の学問の歌学が感じられなくて、

＊2　金達寿（キムダルス　一九一九～九七）在日朝鮮人の作家。一九三〇年に渡日。日本語雑誌『民主朝鮮』の編集を経て作家に。一九五四年の『玄海灘』が高い評価を受け、戦後の在日朝鮮人文学の代表的存在に。後年は日本のなかの朝鮮渡来文化の発掘に尽力した。

＊3　川口順子（かわぐち・よりこ　一九四一～）政治家。東京大学卒業後、一九六五年に通産省入省。一九九三年に退官するが、二〇〇〇年に第二次森内閣で環境庁長官として入閣。その後、二〇〇二～〇四年まで外務大臣を務めた。

西洋科学のほうのヨーロッパ輸入のやつだから、なんとなく付け焼き刃だね。うまくくっついてないのよ、それ。つまり、ガリレオが話をするとかファラデー[*4]が話をするというのとずいぶん違うんだよね。

谷川　それはそうだよ（笑）。

鶴見　受験勉強で頭入っちゃっているから、ファラデーに似たような言葉は使うんだけど、なんかフワフワしてるわけ。だから、やっぱり高杉晋作とか坂本龍馬とかあのへんとずいぶん違うんだよね。

谷川　鶴見さんの子供の頃というのはそういう伝統というんですか、まだ……。

鶴見　もうない。私は自分で『新編漢詩自由』[*5]という本を古本屋で買ってきて、ひっくり返しては平仄《ひょうそく》を覚えるわけ。

谷川　それはおいくつぐらいのとき?

鶴見　十二、三。それでね、つまり、夏目漱石とか森鷗外までは自分で漢詩つくれた。平仄というのたくさん読んでいるから、中国語のことわかってないんだけど平仄はわかっているわけ。けれど永井荷風になるとつくれないんだ。荷風のおやじはつくってるんだ、永井禾原《かげん》[*6]というのが。だから、上海に行くまでの数日、風に吹かれてなんて即興的につくっているんだ。だから荷風はおやじに頭が上が

＊4　マイケル・ファラデー（Michael Faraday　一七九一〜一八六七）イギリスの物理学者・科学者。電気モーター、発電機、変圧器などを発明、史上最大の実験科学者と呼ばれるが、貧しい家庭に生まれ高等教育を受けておらず、独学で知識を身につけた。

＊5　松崎覚本著。一九三四年、日比谷出版社刊。第一章「詩式」、第二章「韻法及句例」など全七章で構成。内容はある程度平易に書かれているが、十二、三歳が読むには難解。

＊6　永井禾原（ながい・かげん　一八五二〜

らないんだ。二つのことができたからなんだ。禾原の好きな二つのことは、一つは金儲け。もう一つは漢詩を自分で即興的につくれる。荷風はつくれないんだよ。あれが漱石と芥川、森鷗外と、森鷗外の弟子ってだれか知らないけども、だれかその間にあるんだ。だから私はまさにそのできないほうなんで、『新編漢詩自由』をひっくり返して漢詩をつくってるんだけども、自然に出てこない。その問題が明治半ばで切れて、海軍、陸軍でもそういうやついたのよ。秋山真之[*7]なんて「天気晴朗なれども波高し」でしょ。パーッと出てくる。だから、あそこで切れちゃっていることの意味は政治にも出てきているね。乃木大将なんて詩うまいよ、あれ。

谷川　お父様（鶴見祐輔[*8]）はそういう詩はおつくりにならなかったんですか。

鶴見　字はうまかったけど、詩はつくってない。ところが、じいさん（後藤新平）のほうはつくってた。牢屋に入れられたときには、漢詩をつくっているんだよ[④]。中国人の学者が来て私とその人と関係しないおやじの書ばっかりほめるんだよ。じいさんのほうは見向きもしないんだ。私から見ると後藤新平の場合、人間に仕事があるし、だけども字はおやじのほうがうまいらしい。おやじは字はうまいけど、おやじのつくった漢詩ってないんだ。じいさんのほうはあるんだ。

一九一三　本名、永井久一郎）漢詩人・官僚・実業家。尾張藩士の長男として生まれ、一八七一〜七三年にアメリカ留学後、文部省に入省。大沼枕山らに漢詩の指導を受けた。

＊7　秋山真之（あきやま・さねゆき　一八六八〜一九一八）海軍軍人。一八九〇年に海軍兵学校を主席で卒業。日清戦争従軍後、アメリカに留学。日露戦争では連合艦隊参謀として日本海海戦などを指揮した。

＊8　鶴見祐輔（つるみ・ゆうすけ　一八八五〜一九七三）政治家・著述家。後藤新平の娘婿。一九一〇年に東京帝国大

谷川　鶴見さん、子供のときからすごく早熟なほうだったと思うんですが、詩に関しては、つまり小さな頃からどういうものに親しまれてたんでしょうか。つまり、詩集とか詩の本とかというのはいつ頃からお読みになったのか興味あるんですけど。

鶴見　学校からと、うちからもいくらでも離れたいという気持があるから、そういうものが私にとって、道具が本なんですよ。だから、もうなんでもいいんだ。熱中して読んだのは寛永時代からの番付*9を集めた本とかね。

谷川　相撲の番付。

鶴見　そうすると「象ヶ鼻」という相撲取りがいて、いったん大関になるんだけど大関から落ちて、しばらくいくと小結になっているんだよね。そういうこともぴったり頭に入っている。学校の勉強、役に立たないでしょ。うちでもいいと思われないし。だから魅力がある。もう一つは日本の国始まって以来の野球の試合の記録三巻本があるんだよ。それ、全部頭に入ってる。とにかく覚えることが楽しみなんだな、まったく。一種の本能なんでしょうね。

正津　色川武大の『狂人日記』がまさにそれですね。あの場合は相撲で序ノ口から全力士を列挙したりする。ちゃんとした症状ですよね。

学を卒業後、官界を経て一九二八年から衆議院議員に。一九四〇年に米内光政内閣の内務政務次官を務め、のちに大政翼賛政治会の顧問を務めた。戦後は日本進歩党、改進党、自民党に所属し、第一次鳩山内閣では厚相となった。

*9　鶴見が読んだのがどの本か不明だが、寛永以降の番付を集成したものに瀬木新郎九『相撲起顕』（一九〇九）などがある。

鶴見　そういう症状。だからね、たとえば慶応（大学）に福島という選手がいて、二回バント失敗した。三回バント失敗できないでしょ、アウトになるから。そしたら三回目にバカーンと打ったらホームランになった。そういうエピソードもしっかり頭に入っている。

谷川　それは、つまり、おうちとか学校から離れたところで読んでらしたんですか。

鶴見　途中で。神田で長い間、時間があったから。向こうも、あの頃はまだ奨励するんだね、本読むの。全然立ち読みしちゃいけないなんて言わないで、しまいにこういう本もあると言って蔵から出してくるんだ。

谷川　へえ。

鶴見　それがその日本開闢《かいびゃく》以来の相撲の番付一冊本。野球のほうは三冊本だった、でっかいの。そんなの見たことないね。だけど、ああいうのに没入しちゃうわけ。もうなんの役にも立たないから無用心になるわけだ。だから詩じゃないね。無用心だ。いなくなりたいということだな。

谷川　それ、よくご本に出てくるんだけど、つまり小さい頃に日記つけたり何かしていらっしゃいますよね。その頃からもうそういう書くこともしていらしたんですか。

鶴見　書くこともねえ。だけど、いったん絶えるんですよ。十五でアメリカに行くでしょ。日本語忘れちゃうんですよ。

谷川　それもちょっとお話聞きたいんですけども。

鶴見　大学入ったら、アメリカの大学って、いまはどうか知らないけど、偉いところがあるんですよ。私はアメリカに行ってから大学に入って、あなたはどうして小学校しか出てないんですか、と聞かれたことないんだ。一度も聞かれたことはない。日本だったら聞かれるよ。だから谷川さん高等学校へ行っているでしょ。私は高等学校入れない、小学校でほうり出されたから。だから大学にも入れない。アメリカの大学では一度も聞かれたことはない。それはやっぱりヨーロッパからの気風じゃないのかな。とにかく私は日本でやったように成績が悪くてほうり出されると困るわけだ。勉強しなきゃいけないので勉強したわけ。と、いろんななかで日本研究というのがあったから、点数かせぎに具合がいいわけだ。

で、ハーヴァード大学の授業は、教師と生徒の一対一なんだよ。教えたのはエリセーエフ[*10]なんだ。エリセーエフは私よりずっと日本語うまいんだ。英語は私よりかへた。だからエリセーエフは日本語で話すのが好きなんだ。で、次から次へ

＊10　セルゲイ・エリセーエフ（Sergey Grigoriyevich Eliseyev　一八八九〜一九七五）ロシア生まれの日本学者。一九〇八年から六年間東京帝国大学国文科で学び、夏目漱石とも親交があった。ロシア革命で亡命し、パリで日本紹介をおこなう。一九三四年ハーヴァード大学教授となり、E・ライシャワーらをそだてた。著書に『赤露の人質日記』などがある。

＊11　山田孝雄（やまだ・よしお　一八七三〜一九五八）国学者・国語学者。富山中学校を中退したのち、独学で小・中学校教員となる。のちに東北帝国大学教授、貴族

本出して、エリセーエフ、英語へただからあまり講義好きじゃないでしょ。だから、そのとき出してきたのはやっぱり国語学史、文法史というのをちゃんと教えてくれたの。五十音図というのは非常に偉大なものなんだ。これはインドからきて、音韻学的に非常にすぐれてます。そういう話とか右翼の山田孝雄[*11]とか時枝誠記[*12]とかそういうものをもってくるんだよ。

谷川　それ、ハーヴァードで？

鶴見　うん。きちんと教えてくれる。だから向こうは愉快な時間なんだ。日本語は私よりうまいんだし、教えてくれるわけだから。それは大変なものだったね。大変な経験。

谷川　日本語と英語というのがなんか断絶しているようにお書きになっていらっしゃいますよね。日本語で自分は生まれ育って、で、いきなり英語になっちゃったみたいな。

鶴見　あるときクリスチャン・サイエンス[*13]のお寺の中でばったり日本人と思われる女の人に会ったんだ。向こうもそう認めたんだけど、話そうと思ったら口から日本語が出ない。ものすごく困った。ところが向こうもかなり長くアメリカにいたので、いいですよ、英語で話しましょう、と言ってくれた。で、英語で話をし

院議員等を歴任。日本語文法研究に「山田文法」と称される独自の体系を打ち立てた。著書に『日本文法論』（一九〇八）『国学の本義』（一九三九）など。

*12　時枝誠記（ときえだ・もとき　一九〇〇〜六七）国語学者。東京帝国大学卒業後、京城帝国大学、東京大学、早稲田大学の教授を歴任。言語が人間の表現活動であるとする「言語過程論」を提唱。それに基づいた研究は「時枝国語学」と呼ばれる。著作に『国語学史』（一九四〇）『国語学原論』（一九四一）など。

*13　一八六六年に宗教

て、手紙のやりとりもした。ずっと戦争中。クリスチャン・サイエンスの系統の人だったね。だから日本語が出なくなっちゃったわけ。だけど、もちろんゆっくりやっていれば出るんだけどね。普通には英語になったんですね。

谷川　お書きになるものの題名なんかも、たとえばこの『私の地平線の上に』（潮出版社　一九七五）は英語（on my horizon）が先だとおっしゃってたけど、これとか、今度お出しになった詩の形をしたものなんかは日本語で出てきているんですか。それとも英語で出たりするんですか。

鶴見　題は英語からです。この題はやっぱり子供のときに岩波文庫でツルゲーネフの『散文詩』というのが出ていたんです。それは愛読したんだよね。そしたら後ろの、あれ、神西清《じんざいきよし》だったけど、後ろのほうにちゃんと書いてあって、これは遺稿であると。袋にこう入っていて、ツルゲーネフは自分では「セニリア」と書いて、「セニリア」ってラテン語で「もうろく」という意味なんですね。だけど出版社は出版するのにあんまりだというんで、『散文詩』という題に。岩波文庫も。ほんとは「セニリア」なんだ。「もうろく」。それが十三ぐらいから頭に入っちゃったんだ。

谷川　十三ぐらいで！

家のメリー・ベーカー・エディによりボストンで創設された信仰治療団体。神への正しい思考によって霊の健康をもたらし、肉体の病をも治癒することが可能であると説く。

鶴見　これを読んで、詩集出すとすれば。だから、『もうろくの春』というのはこれだけの意味でつけたんだ。あとは黒川さんが全部やったんで。
谷川　編集して。
鶴見　そう。私はなにも文句言ってないんだ。「もうろくの春」というのは英語でいえば「シナイル・スプリング」ですね。悪くないんだ、英語の題としてもね。詩集は英語でも「シナイル・スプリング」というのはないよね。テニスンの遺稿が発見された。「シナイル・スプリング」。これ、いいじゃない（笑）。
谷川　しかし十三のときにその題名を考えて、それを八十過ぎてから出されるというのはすごいですよね。でも、それはうつ病ということと詩とはやっぱり結びついているでしょ。
鶴見　うつ病だとね、知性がグーッと下がるんですよ。自分の名前が言えなくなったり、自分の名前で相手を呼んじゃったりね。そういうことがあるんだ。で、非常に困るわけ。ことに自分の名前にこだわって、自分の名前が書けなくなるわけ。だから原稿商売できなくなる。まあ、私は桑原武夫に非常な恩義を感じているんですよ。[*14] なぜかというと、桑原武夫が教授だったんだ。助手が多田道太郎だった。私はその間にサンドイッチされてるわけだ。で、私はなんか幻聴が生じ

＊14　桑原武夫（くわばら・たけお　一九〇四〜八八）。仏文学者。京都大学人文科学研究所の第三代所長（一九五九〜六三）で、この時期に鶴見を京大に誘った。《京大に行くとき、私は桑原さんに履歴書を出したわけですけど、そのとき桑原さんは、大学を出てなくてもいいよといってくれたんです。桑原さんは、私が二十歳でアメリカから戻ってきているから、飛び級でハーヴァードを卒業したのを知らなかったんだね。（略）この人は、小学校卒業として、私を京大の助教授に取ろうとしたんだなって。それを教授会で通すのは、大変なことですよ。だけ

て、自分が京都大学の助教授であることを嘲られているという声が聞こえるんだよ。これはもうやっていけないと思った。

正津　日本へ戻ってきてすぐじゃないですか。

鶴見　日本へ戻ってきたときは満二十になってた。そのときは徴兵検査だよ、一番初めは。だから。

谷川　それから戦争にね。

鶴見　だから日本語が私にとってとても難しかった。つまり十五から十九の終わりまで外国語で暮らしていると、書いているのも全部、基本的には英語で書いているでしょ。

谷川　それまでは英語はやっていらっしゃらなかったんですか。

鶴見　もうそれは不良少年ですから全然だめ。

谷川　行くまでは。じゃ、アメリカへ行ってから。

ど一つだけ、注文を付けてきた。アメリカで牢屋に入ったことは履歴書に書かないでくれ。まだ占領時代だから、教授会のときどういう理由で牢屋に入ったかということがわかると話が没になるわけですから。／私は、桑原さんには非常に恩義を感じている。だから、桑原武夫賞の選考委員も、生きている間は辞めませんよ（笑）》（鶴見俊輔『言い残しておくこと』、作品社、二〇〇九）

人間語→生物語→存在語

鶴見　そうそう。だからね、初め三ヵ月とか非常に困ったんだけど、十五歳というと三ヵ月って時間あるんだよ。だからゼロ歳だったら一日で〔細胞が〕入れ替わるし、一歳だったら二、三日でしょ。それと同じような。やっぱり人間語なんだよ、しゃべっているのは。いまはね、だんだんに人間語というのが近くなってきているんだよ。つまり、うちでも言われるんだけど、言語不鮮明なんだ。繰り返し問いただされるんだ。と、これはもうろく語なんだね。もうろく語というのはある意味で人間語なんだよ。で、もっと超えていくと、生物語になるんだよ。だから、よく老女がペットとこうやってしゃべっているでしょ。あれは生物語なんだ。で、もっともっとすべてが失われていくという恐怖ね。あれ、寺山修司のつくった映画があるじゃない、『百年の孤独』[*1]。あれ見ると、言葉失うとベタッペ

＊1　『百年の孤独』。原作者ガブリエル・ガルシア＝マルケスが一九八二年ノーベル文学賞を受賞し、『百年の孤独』の原作権問題が浮上。寺山の存命中に問題解決せず。改題の上、八四年『さらば箱舟』として公開。

タッと。これだったら「テーブル」、これだったら「椅子」とか書くでしょ、ペタッと。こわくてたまらないんだよ。あれがもう言葉を失う端境期のところの感覚だと思うんだよね。しまいに失っちゃう。本当に。石になるね。存在語になる。

谷川　存在語。

鶴見　ピタッと止まっちゃうでしょ。あれだよ。あれで石になるんだ。原爆に撃たれた影の人がいるでしょ。それが存在語なんだよね。存在語を目指してという感覚があるね。寺山修司はまだ若かったから恐ろしかったんだと思う。だけど八十まで生きて、寺山修司ほど恐ろしくない（笑）。だから存在語に近くなって、で、その道筋で英語というものがあった。英語をしゃべったこともあったと。だから、その英語というのは人間語の方言なんだ。最後は存在語なんだから、そんなの小さな小さな一部でしかないんだ。そういう感じだね。

谷川　存在語というのを、たとえば仮に詩と散文というふうに、それを書き物に分けた場合には、それは詩のほうですか、どっちかというと。

鶴見　どちらかといえば散文よりは詩でしょう。

正津　それはもちろん詩でしょうねえ。

谷川　そんな気がしますね。で、鶴見さんがお書きになるものもすごくたくさんあって、やっぱりスタイルもさまざまですけども、『退行計画』⑤とかその頃のものなんかを拝見すると、すごくやっぱり詩的な文体に見えちゃうんですけども。

鶴見　存在語に向かって。

谷川　そうなんだ。それから僕なんか、「昼間の風呂場に行くと、何となく場ちがいな……」みたいなことを読むと、これ、なんかこのまま散文詩じゃないかみたいな感じがしちゃうんですけど、そういうのは別に詩とか散文とかそんなことは意識して書かれてるわけじゃないですよね。

鶴見　そう。三つか四つでしょ。そうすると風呂場に日の光が当たって、それ、風呂場を乾かすためなのよね。と、そこにホースがかかっていると、ホースを見ると必ずある感情が湧くんだ。で、単純にその感情を取り戻すためにまた行ってこうやって見る。三歳ぐらいで、こうやって見ると正確に返ってくる。つまり、正確な感情なんだね。プリサイス・エモーション（Precise emotion）。あれ、不思議だったね。

谷川　それでも書き留めておきたいというふうに何度か思って書き留められて、また最終的にいま、このご本にあるのは相当の年齢になってから思い出して書かれたんですよね。

鶴見　そう。カトリック神学というのは自然記号というのがあるんですよ。つまり、人間がつくった意味のある記号じゃなくて、雲とか石とかそういうの、それぞれ人間にとっての記号だと。それが根本の記号だという考え方。つまり、世界のたとえなんだよ。そういう神学というのが中世にできたでしょ。考えてみると中国の詩だって陶淵明とかさ、寒山詩[*2]みたいなもの。寒山詩なんか特に一人で暮らしているんだから一つ一つの雲の形やなんかがある自分の気分を伝える道具になっている。で、人と話をするわけないわけで、自分との対話になるよね。そういうセルフ・コミュニケーションでしょ。そういう境地が人間全体として考えてみればあるんじゃないの。だれとも話さなくて恐ろしいというんじゃない境地が中国の詩にはあるでしょ。おそらくカトリックの修道院でジーッと無言の行やっていると、同じようにあったんじゃないの。あのね、羽田澄子の養老院の映画「痴呆性老人の世界」[*3]観た?

谷川　観ました。

正津　あ、観てない。

鶴見　おもしろいよ。あのね、老女が背中に何かしょってこうやって歩いている。うちへ帰ろうとしているんだ。子供が病気か何か。それが形になっているのね。

＊2　唐代の詩。七～八世紀頃の寒山（かんざん）という幽窟に脱俗的に暮らす僧とその友人拾得（じっとく）の作と伝えられ、権威を否定し自然や隠遁を楽しむものなど多様な内容を含む。

＊3　九州のある施設を取材し、そこに収容された痴呆性（認知症）老人たちの姿から、痴呆とは何か、社会は「老い」をどのように扱うべきかを問うたドキュメンタリー作品。羽田澄子監督。一九八六年公開。

それからしばらくしてうちに引き取られていたのが帰ってくると、老女と老女が熱狂的に抱き合って、歓迎しているんだよね。何か絶えずしゃべり合っているんだけど、どういうことしゃべり合っているということもあるんだけども、まったくトンチンカンなんだよ。まったくのトンチンカンなんだけども、そのコミュニオンというのはもう熱狂的なんだ。そこにあらわれている。映画で見えるんだから。明るい。人間の未来は明るいと思ったね、あれ。完全にトンチンカンなんだ(笑)。だけど明るいんだ。すごいな。それは人間はそういう境地をとらえていることがあるらしいね。

昨夜、これ読んでいたんだ。戦争中にこの本、呉茂一『ギリシア抒情詩選』(岩波文庫 一九四八、増補版一九五二、復刊一九八七)あったんだよね。軍の酒保で買ってジャワで読んでたんだけども、これ、紀元前六〇〇年。大変な時間だよね。二千六百年前。アルカイオス*4というんだけど、「思ふことを 言いたまはば 思はぬことも 聞きたまはん」。これ、まさに羽田澄子の老女の一節だね。それでけっこう愉快なんだよ。

谷川 そうですよ。

鶴見 音として聞いているんだから。で、お互いに善意は伝わっているんだ。こ

*4 アルカイオス(Alkaios 前六二〇頃～前五八〇頃)ギリシャの抒情詩人・政治家。貴族の家に生まれるが、政争に巻き込まれエジプトなど各地を流転。酒と少年愛、戦争などを主題に激情に満ちた歌を遺す。

ういう境地というのは、つまり、これは存在語よりちょっと前の。

谷川　もうちょっと前に戻らせてください。存在語のほうにいっちゃって肩透かしくらわされているみたいな。

鶴見　早く飯を食うほうに（笑）。もう一つ前の段階。「midnight press」〔本鼎談の掲載誌〕を読んでいたんだ。一八号のこの鼎談[*5]で「秋と一日」という山本かずこ[*6]さんの詩が引用されているんだよね。これ、全部ひらがななんだね。ここに「じぎゃくてきに、ではなくて。じしゅてきに。」と書いてある、ひらがなで。そのときの私の反応はね、私は日本語の力がある程度落ちる。「じしゅてき」って耳の中に出てきたのは、「自」という字と「首」という字と「的」という字。「自首的」、全然違う意味が自分の中に生じているわけ。とってもおもしろいと思った。「じぎゃくてきに、ではなくて。じしゅてきに。」。この警察とかに「自首」するという、そうするとフワーッと意味が広がってくるね。あるんだよ。それ、トンチンカンな詩の読み方がものすごく意味の領域を広げるんだね。

正津　それが先生の持論じゃないですか、曲解する自由というのは（参照『誤解する権利――日本映画を見る』一九五九　筑摩書房）。

鶴見　そうそう。だから、これを読んで、あっと思ってちゃんと書いたの（笑）。

＊5　谷川俊太郎・正津勉・山本かずこ「女のなかの詩」。

＊6　山本かずこ（一九五二〜）詩人。高知市生まれ。著作に『渡月橋まで』（一九九四）など。

そういうふうに読むことはあるんだよね。

正津　僕が学生の頃にすごくおもしろいことをおっしゃったんですね。「私の辞書」というお話をされまして、それぞれ個人個人が自分型の辞書をつくらなければいけないということをおっしゃったんですね。すごくおもしろくてずいぶん長く頭の中にあるんですけど、通有の辞書じゃなくて自分の中に辞書をつくりなさいと言われたことがありましたね。変なことをおっしゃる先生だなと思って。

谷川　いまはそうは思ってないでしょ。なるほどと思っているんじゃないの。

正津　思っていますね。

谷川　そのぐらいは成長しているんですよね。

正津　多少は成長しているのかな。でなくて、退行しているかもしれない。そんなこともありましたね。

谷川　でも、つまり鶴見さんがお書きになるものというのは詩とか散文とかってあまり分ける必要はないと思うんですけども、どっちかの方向により強くいっているというのは言えるんですけども、今度の詩集に収められたような形で、なんか折に触れて、時々生まれてますね、短い言葉が。あれはやっぱりほかの長い、たとえば散文をお書きになっているときとは違う感情がやっぱりあって、ああいうものが出てくるんですか。

鶴見　練達の詩人じゃないから洗練するということは難しいんですよ。だから谷川さん、耳が超日本語的に発達していると思うんだ。というのはね、いつだったか、いま評論集を出そうと思っているんだけども、「ランダム・リーダー」という題にしたいんだ。どうもそれらまく受け皿、だいたい受け皿考えるんだけども、「私の地平線の上に」は「オン・マイ・ホライズン」から。「ランダム・リーダー」というのが浮かんだときに受け皿が浮かばない。と言ったら、あ、それいいんじゃないの、韻を踏んでいるから、と言ったんだ。あ、なるほど、いつも韻に対して敏感になっているんだなと。だから何語に対しても敏感になっているんだ。「ランダム」「リーダー」でしょ。ちょっとびっくりしたんだ。あ、さすが練達の詩人。

谷川　それ、だれが言ったんですか。

鶴見　谷川さんが言った。

谷川　えっ、僕が言ったんですか(笑)。全然覚えてない。

鶴見　無意識の領域でも詩人なんだ。だからね、「ランダム・リーダー」ってなぜ日本語にできなかったかというと、「ランダム」という言葉と「リーダー」という言葉が英語では二重なんですよ。教科書を「リーダー」というでしょ。もう一つは読者でしょ。「ランダム」のほうはでたらめという意味もありますね。だけど統計力学でいう「ランダム」というのがあるでしょ。爆弾が落ちてくるのも「ランダム」。「ランダム・サンプリング」という統計用語。だから、いろんな意味がある。「でたらめな読者」と言っても変だし、どうしても「ランダム・リーダー」、置き換えがきかなかったんですよね。だから、そういう問題があるんですけどね。

谷川　そうするとやっぱり詩集に入れられたようなものをお書きになるときに、そうとう耳も働かせていらっしゃいますか。

鶴見　谷川さんみたいに耳がよくないんだよ。だからだめなんだ。フッと出てくる。

谷川　やっぱりフッと出てくるんですか、なんにも考えてないで。

鶴見　そう。これから仕事しようとかそういうのじゃなくて、フウッと出てくるというものが詩になっているわけ。洗練じゃないな。だから、何度も何度もこう回していってよくしていくという、その詩技というのはないんだ。

谷川　じゃ、なんとなくポッと出たままが多いですか。

鶴見　そう。だからね、私が大学にいるときにレジデント・ポエット（客員詩人）という制度があった。いまもその制度があるかどうか。偶然、私が一年生のときのレジデント・ポエットはロバート・フロスト[*7]だった。フロストは校内に住んでいてお茶会に呼んでくれるわけだ。だからフロストと会って、お茶会で話をしたことがあるんです。フロストが一つの詩をゆっくりポタリング、整え変えていくんだね。ものすごく時間かけて。あ、こういうのが詩人なんだなと思った。それは一九三九年だ。そのときフロストはとてもいい詩を書いていた。で、私より三年上に〔ジョン・F・〕ケネディがいたんだよ。で、ケネディはやっぱりそのお茶会に来ていたと思うんだ。ケネディが大統領になったときに桂冠詩人としてフロストに詩を読ませた。私はそれがどういうものかと思って図書館で出してきて見たんだ。もうだめだった。フロストもおとろえるときがあってね。決していいものじゃなかった。だから桂冠詩人というのはいつ指名されるかだよね。

正津　桂冠詩人。

鶴見　谷川さんは桂冠詩人、いや、もっとなりふりかまわずウワーッとあるじゃない、鋭いところが。

＊7　ロバート・リー・フロスト（Robert Lee Frost　一八七四〜一九六三）米国の詩人。ニュー・ハンプシャーの農場に暮らし、そこに生きる人々の生活を自然詩人として描いた。ピューリッツァー賞を四度受賞したほか、一九六一年にはJ・F・ケネディ大統領の就任式で自作の詩を朗読した。

出鱈目の鱈目の鱈を……

谷川　僕の好きな詩「くわいの歌[i]」も入ってない。「ひとびとの　よるひるつくる／ことばは　ねんどのうつわ。／……／クワイガ　メエダシタ！」というの。

正津　あれもいいよね。

谷川　あれのくっつき方が僕はすごく好きで、いやあ、すごいなと思ったんですけどね。こういうのもポコッと出てくるんですね。

鶴見　私は京都で勤めていたでしょ。東京と京都、繰り返し往復するわけ。と、あるときに五歳ぐらいの子供がお父さんとたわむれてて、「くわいが芽出した、花咲きゃちょん切るぞ」、というやつね。ジャンケンポンの前言葉なんだよね。繰り返しやってて飽きない。耳の中に入っちゃってね、これはいいなと思って。それからそれがインダクション（誘導・感応）みたいにしてグルグル回って感じるときがあるね。

i——くわいの歌

ひとびとの　よるひるつくる
ことばは　ねんどのうつわ。
こぼたれ、
やがて　くずれおちるもの。
　　クワイガ　メエダシタ！

いちわんの　こめをたべ
いちわんの　みずをすする
ひとときの　用にたるのみ。
たちまちに　かさかさになり、

かたち　ゆがみ
くずれおちるもの。
　クワイガ　メエダシタ！
　ハナサキャ　ヒイライタ！

小学生の　ねんどざいく。
期待ばかりが　おおきくて
えのぐで　ぬりたてては
みるものの、
ひにてらされて　いろがさめ、
やがては　ただの
つちの　ひとくれ
　クワイガ　メエダシタ！
　ハナサキャ　ヒイライタ！
　ハサミデ　チョンギルゾ！

ときたちては
ただ残骸を　とどめるのみ。
ことば、ことば、
ねんどの食器。
天にむかって
わが
はきかける　つば。
　クワイガ　メエダシタ！

ii
――反歌

出鱈目の鱈目の鱈を干しておいて
夜ごと夜ごとに　ひとつ食うかな

（同前『鶴見俊輔全詩集』より）

谷川　これ、くっつき方がなんとも言えずいいんですよね。

正津　僕も、なんで入れないのかなと思って。

谷川　「反歌」[ii]がまたすごいんだよね。これはそうとう韻を踏んでいらっしゃるじゃないですか。「出鱈目の鱈目の鱈を」というのは。

鶴見　それは底に埋めていた期間が長いから。つまり、十九でアメリカを離れて、二ヵ月半、交換船[*1]に乗ってて日本に着いたら満二十歳になってて、徴兵検査でしょ。ものすごくおそろしい経験なんだ。アメリカにいたとき、もう終わりの頃は喀血していたし、カリエスの異状が出ていた。だから自分が兵隊に取られるわけはないと。で、負けるときに負ける側にいようという以外に帰国の動機はないんだ。それ以外ないんだ、まったく。ところが、負けることは確かなんだけども、自分が兵隊に取られるということは考えてなかった。で、そのときになんか海軍のほうが陸軍より文明的な気がしたんだよね。

谷川　そういわれていますよね。

鶴見　それで志願したんだ。で、ドイツ語の通訳でブルゲンラントというドイツの貨物船に乗ったんだ。バタビア〔インドネシアの首都ジャカルタの旧名〕に行った。仕事はいいものが与えられたんだ。海軍は大本営発表を信じていたら戦争できない

＊1　太平洋戦争開戦後、交戦国に残る人々を帰国させるために用意された船。鶴見は、姉和子・都留重人らと「日米交換船」に乗船。加藤典洋・黒川創との共著『日米交換船』（新潮社、二〇〇六）もある。

んですよ。撃沈したという船が向こうから、水平線から出てくるわけだから。バタビア在留の海軍武官が敵が読むのと同じ新聞つくってくれと言うんだ。それで夜ずうっと短波〔放送〕聞いていてメモとって、朝になると武官府に出ていって、毎日、新聞つくるんだ。もう大変な仕事だったね。昼飯までかかるんだけど、飯食おうと思うと手がブルブル震えるほど。私は悪筆なんでね、こちら側とこちら側にタイピストをつけてもらったわけ。一枚書くごとにそれ邦文タイプで打つわけ。それで太平洋に散らばっている艦隊のそれぞれにあててそれを送るんだよ、それを。陸軍のほうは厖大な、捕虜収容所に持っていってやらせてるわけ。記録はこのくらいあるんだけども、おそらくだれも読んでなかったんじゃないかと思うんだ。私は夜聞いていて書き留めて次の朝つくるから、自分一人でつくっているわけ。で、それは私の最初の著作だと。そういう仕事だったね。

　だから、いくらかの日本語は書いているんだけど、日本の英語教育というのは明治三十四、五（一九〇一、〇二）年まではそうじゃなかったんだけど、あとは読むことに尽きちゃうんだね。読む、書く、しゃべる、聞く。この中で外国人にとっては、〝聞く〟が一番難しいんだ。というのはスピードが自分でコントロールできないから。向こうがコントロールするでしょ。それでこっちは合わせなきゃいけないんだ。これが難しいんだ。だから、読む、書く、しゃべる、聞く、これ全部できる人はもう外務省にもいなくなっちゃった。それができた人というのはもうやめちゃってる。幣原喜重郎[*2]みたいな人。これは日露戦争のときの外電部長だから。と、それはもう退役して長いし、冷や飯食わされているんだから。あと、戦争中、私と一緒に帰ってきた私の先生だけど、都留重人[*3]はできますよ。だけど海軍の中でも私一人しかいなかったと思う。だから毎日つくっているんだよね。番付上は私より上に東大出やなんかもっと偉い人いるんだよ。だけど、なにもできないでしょ。手伝いもできないわけだから、ハンコだけ置いていくんだよね。それが私の海軍だね。だから、いくらかは日本語書けたんだけども、という程度なんだよね。それで戦後に突っ込んじゃうんですよ。

いま言おうとしたことはこれだ。それが「出鱈目の鱈」なんです。長く保っていたと言ったでしょ。大本営発表というのは嘘っぱちなんだ。それは私が聞いていたこれで自分でつくっている毎日の新聞でわかるわけ。だけど新聞は読むね。新聞というのはだいたいたい嘘書いてある。私にとって読めるのは俳句がある、俳句を読める。

谷川　あ、新聞に。

＊2　幣原喜重郎（しではら・きじゅうろう　一八七二〜一九五一）外交官・政治家。駐米大使を経て、第一次・第二次加藤高明、一九二四年以降、第一次・第二次若槻礼次郎、浜口雄幸内閣で外相を務め対英米協調外交を推進。一九四五年には内閣総理大臣となり、新憲法草案作成に着手した。

＊3　都留重人（つる・しげと　一九一二〜二〇〇六）経済学者。鶴見のハーヴァード時代の保護者。一九四六年五月、鶴見らと思想の科学研究会を結成。

鶴見　それから相撲がある、と。ことに柏戸敗れるという。これ、後の強い柏戸じゃないのよ。弱い柏戸[*4]で、岩手県出身の柏戸で、弱い柏戸なんだよ。ああ、また負けたのかと思うんだよね。あとは嘘なんだよ。それが「出鱈目の鱈目の鱈」なんだよ。全部くるんであるでしょ、教育勅語的なものに。だけど中心にあるのは全部嘘なんだ。だから、それをくるんで言うというふうに、そういう実感が毎日の実感としてずうっとあるわけ。それが主題だね。で、同時にエリセーエフから教わったんだけども、枕詞というのは不思議なもので、土居光知[*5]も書いている。土居光知って偉い人ですよね。枕詞ってウクライナにもあるし、ギリシャにもある。ギリシャでは、エピテトンでしょ。だから日本独自のものじゃないんだよ。ある土地には、みんなが同じようにつき合っていれば、枕詞、自然にできるんだよ。枕詞っていうのは大変に珍しいおもしろい習慣だということは知っていたわけ。これを使ってやりたいと。いくらかプロ詩人的なのかな（笑）。枕詞、「ひさかたの」なんていうんじゃないけど、「出鱈目の鱈目の鱈」。全部「出鱈目」。こいつを干しておいて、ぶら下げておいて、夜になって私の仕事の時間だから、短波聞いているんだから。私以外には聞かさないわけだからね。そいつを干しておいて夜ごと夜ごとに一つ食うかな、と。

＊4　柏戸（一九一八〜一九八二）。岩手県出身の元大相撲力士。「柏鵬時代」を築いた第四十七代横綱、柏戸剛の師匠。

＊5　土居光知（どい・こうち　一八八六〜一九七九）英文学者・古典学者。文化人類学と比較神話学を用いて東西文学を類型化。

正津　なるほど。
鶴見　万葉集。だから、この中にはエリセーエフも入っているし。
谷川　背景を聞くと大変深い歌だっていうことがわかったね（笑）。
鶴見　そのメタファーが長い間眠っているから。それでつくったのは戦後ですよ。
だけど、その体験がね。

詩の話

谷川　さっき伺いたかったのは、詩を読むということはいつぐらいからありましたか、覚えていらっしゃる限りでは。詩という形の書き物。

鶴見　谷川さんはそうだと思うけど、『小学生全集』ってあったでしょ。

谷川　アルスの。

鶴見　アルスのは北原白秋系の『日本児童文庫』。『小学生全集』は菊池寛編（興文社　文藝春秋社）。両方あったから、それは読んでたね。だから印象に残っているのは三笠宮（崇仁《たかひと》）の詩だよ。三笠宮の六歳のときの詩「月夜の空を雁飛びて　宮くん御殿でそれ見てる」[*1]それから牛乳は熱くておいしくてとかそういうの。

谷川　ああ、ありましたね。

鶴見　詩人としての三笠宮、ああいうのを読んでいた。

＊1　「おさとうは　白くて甘くて美味しくて牛乳なんかに入れて飲む」

谷川　それは、でも、日本にいらっしゃるときはその程度だったんですか。もっとほかの。
鶴見　小学校、めちゃくちゃ本を読んでたんですよ。
谷川　それはよくわかりますよ。
鶴見　おふくろと目を合わせたくないから。
谷川　そのめちゃくちゃに詩が入っていたかどうかが興味があるんですよ。
鶴見　薄田泣菫《すすきだきゅうきん》とか、あのへんからは。藤村《とうそん》とか蒲原有明《かんばらありあけ》とか。
谷川　もうやっぱり小学校の頃から。
鶴見　岩波文庫にあるでしょ。ああいうもの。
谷川　そういうので特に心引かれたとかということはないんですか。僕はどっちかというとわりと科学少年みたいなところがあって図鑑ものが好きだったんですね、自動車の図鑑とか。それでわりと物語なんかそんなに興味がなかったんですけど、なんか鶴見さんだとすごく昔の物語とかそういうものをお好きそうにも見えるんだけど、そういう、たとえば子供のための文学全集なんかではどういうのがお好きでしたか。
鶴見　私は非常にスポーツ苦手なんですよ。にもかかわらず。

谷川　相撲の番付とか。

鶴見　『全野球記録名鑑』全三巻、一冊がこんなに大きくて広いんだよ。重いんだ。あの本、あの後見たことないね。そういうものだとか、日本始まって以来の相撲の番付とか。つまり無意味なものに興味があるんだ。つまり意味を避けたい。

谷川　そうだね。意味を避けたいんだね。

鶴見　どうしても無意味な方向にいきたいんだよ。つまり、自分がなくなってしまいたいんだ。

正津　なるほど、自己消去願望ですね。

鶴見　私の少年のときの理想はね、自殺して、自分の死体をおふくろに突きつけてやりたい。それが理想だね。それ以外にない。にもかかわらず、おふくろが私だけを愛していることがわかるんだよ。それがもう葛藤なんだよ。きょうだい四人なんだけども、明らかに私だけが愛されていて、そのためにめちゃくちゃに一日中しかられるわけだ。で、おやじが帰ってくると黙っているんだよ。私のほうも親に対してそんなこと密告して裏切るわけいかないから、しょうがないからじっとしている。だから、とにかく自分が死んで死体をおふくろに突きつけて。「アカシアの雨にうたれて……」というのがあるでしょ。あれ、あれ（笑）。これも全然違う意味を引き出しているんだよ。西田佐知子が聞いたら驚くよね（笑）。

谷川　アメリカに行かれてからはどうなんですか。大学でやっぱり詩とか教えるわけでしょ、ハーヴァードならハーヴァードで。

鶴見　読むことは非常に読んだ。それは試験にも出ますから。つまり、大学の共通試験なんですよ。答案をそれぞれの大学に持っていって、自分の大学で採点しちゃうんです。それだけが違うんです。私の前にはサンタヤナ[*2]の詩なんか出てたね。あれはソネットですけども。イギリスの詩は始まりからずうっと読んでますね。だからものすごく読んだんですけども、自分の心に入ったというのは妙なことにウィルフレッド・オーエン[*3]なんですよ。オーエンの詩はものすごく感心したんだけどね、持って帰るわけにいかない。海軍に行っちゃうでしょ。あれどうだったかなと思うんだけど、思い出せない。そらんじることできないんです。妙なんだけど、サンタヤナはそらんじることができるんです。シェークスピアもそらんじることができるんです。ところが一番好きなオーエンの詩はスラッと思い出せない。非常に困って。しかしジャワには海賊版というのがあったんだね。海賊版で見つけてオーエンの詩を写したんだ。

ずいぶん後になってどうして覚えられないのかと考えた。あれはシラブル（音

＊2　ジョージ・サンタヤナ（George Santayana　一八六三〜一九五二）スペイン出身のアメリカの哲学者・詩人。ハーヴァード大学でウィリアム・ジェームズらに学び、自らも哲学教授を務めた。のちにローマに移住。

＊3　ウィルフレッド・エドワード・ソールター・オーエン（Wilfred Edward Salter Owen　一八九三〜一九一八）イギリスの詩人。第一次大戦に従軍した経験から、戦争の悲惨さを訴えた詩で知られる。一九一八年の休戦一週間前にフランス戦線で戦死。

節）にならないんです。で、私は古典的な英語の教育を受けたからシラブルで覚えるんですね。だからシェークスピアは覚えられるんだけども、オーエンは覚えられないというのがよくわかった。あれ、新しい詩風なんでしょ。しゃべるときに自然に英語の中にリズムができてきて、それストレスなんですよね。で、オーエンの詩というのはストレスを巧みに使った新しい詩なんだ。二十四で死んでいるんですから、彼はプロの詩人じゃないですから、ちょうど竹内浩三[*4]みたいな。大学には行かないで軍隊に引っ張られて戦死したわけで。彼には、日本に来たエドマンド・ブランデン[*5]が編集したオーエン、それからe・e・カミングス[*6]。両方とも記憶しにくい詩が好きになっちゃうんだから困るね。

正津　ご自分で英語で詩を書くとかっていうことは。

鶴見　それはあります。大したものじゃないけど、あります。それが下地になって日本の詩にゆっくり上がってくるということはありますね、確かに。

正津　戦後なんですけど、僕、こんなこと先生から伺って。戦後、「荒地」のグループができますね。先生は「荒地」に投稿しようと思ったというようなことをおっしゃった。

鶴見　ジャワにいたでしょ。明らかに道で黒田三郎⑥とすれ違ったことがあると思

＊4　竹内浩三（たけうち・こうぞう　一九二一〜四五）三重県宇治山田市（現、伊勢市）生まれの詩人。フィリピン戦線で戦死。享年二十四。

＊5　エドマンド・ブランデン(Edmund Blunden　一八九六〜一九七四）イギリスの詩人。元オックスフォード大学教授。一九二四年から二七年まで、東京帝国大学で英文学を教える。著書に第一次大戦に従軍した際の随想録『戦争余韻』（一九二八）がある。

＊6　e・e・カミングス（Edward Estlin Cummings　一八九四〜一九六三）米国の詩人。

うんだ。

谷川　ええっ。

正津　ほんとですか。

鶴見　会社から来ているんだから。[*7] そうしたら話するところって別にないんだから、隣りに座ってたらそういう話題があると非常に趣味が似ているんだね。これは架空の話ですよ。だから戦後、とにかく入らないかということになって、つまり、評論みたいなもので、ああいうものが「荒地」になかったのかもしれないんだよね。考え方が非常に似ているんだから。鮎川信夫⑦とか高野喜久雄、[*8] それから黒田三郎、あそこに出ているのは非常に気分が似てますよ。戦争中の気分。つまり、鮎川というのは戦争中に変わってないからね。黒田もそうでしょ。自分の十七、八の気分をそのまま持って、私と非常にその意味では似ているんですよ。だから「荒地」に入るのは自然じゃなかったかな。

だけど偶然、私は小学校しか出てないから、友達がいないんだよ。だから非常に近い、たとえば加藤周一とか中村真一郎、福永武彦、そういう人とも会ってりゃ、じゃ、こっちに行こうかなと思ったかもしれないんだけどさ。だけど、この二つの出会いは現実には起こらなかった。

句読点や大文字を排するなどの実験的な詩を発表した。

＊7　黒田三郎は、戦時中、南洋興発会社の社員としてジャワに赴任していた。

＊8　高野喜久雄（たかの・きくお　一九二七〜二〇〇六）詩人。高等学校教諭を務めながら詩作した。著書に『独楽』（一九五七）など。

正津　東京に出てから鮎川さんとお会いして鶴見さんのお話をしたら、鶴見さんが入ってくれてたら僕は詩論書かなくてもよかったのにな、と鮎川さんがおしゃっていた。

鶴見　鮎川も気分が、戦前に書いていた詩と私の気分ととってても似ているわけ。黒田もそうだ。運命って不思議なものだね。

正津　世代が同じで、ある程度、共通体験があるから。

鶴見　だから私のほうに引っ張ってきて雑誌を一緒にやるように、同人誌でセットをつくったのは姉、鶴見和子[*9]なんだよ。で、彼女は小学校だけじゃなくて中学校、専門学校。

正津　「思想の科学」はお姉様がオルガナイザーなんですよね。

鶴見　人間をそろえたのは彼女。私が編集者。ただ一人の編集者。丸山眞男を引っ張ってきたり、渡辺慧《さとし》を引っ張ってくるとか、そういうの全部、彼女がやったんだ。あと、武谷三男でしょ。それから武田清子。都留重人だけは違うんだ。つまり、十五のときに私がアメリカに行ったときに、私の保護者だった人がものすごくできる日本人がいると言うんだよね。で、一緒に飯を、引き合わせてくれたんだ。それが都留重人なんだよ。だから十五歳のときからの先生なんだよ。私

＊9　鶴見和子（つるみ・かずこ　一九一八～二〇〇六）社会学者。鶴見祐輔の長女。比較常民学の研究をすすめ、柳田國男、南方熊楠らの民俗学を継承。内発的発展論をとなえた。著作に『社会変動と個人』『漂泊と定住と――柳田国男の社会変動論』『南方熊楠――地球志向の比較学』など。また十五歳から佐佐木信綱門下として和歌を学び、後年脳出血で倒れたあと、リハビリテーションの過程で詠んだ歌集の『回生』がある。

にとっては八十歳まで一貫して、ただ一人の先生なんだ。私には都留さん以外に先生っていないんだ。あとは彼女が全部手配したんだ。手配師みたいに。

谷川 和子さんの短歌はびっくりされましたか。病気で倒れられてから急激に爆発的に出てきましたよね。

鶴見 あ、あれ驚いた。

正津 僕もびっくりしました。

鶴見 あれは自分から出発していると思う。彼女は率直に言えば一番病なんだよ。私のおやじと、おやじを非常に崇拝している彼女と二人が一番病なんだよ。で、いつでも一番なんだよ。いつも一番というのは、そのグループの中で、その時代の中で一番だからね。だから津田〔英学塾。現・津田塾大学〕に入りゃ西田哲学でしょ。で、アメリカに行きゃ、その当時、ニューディール、マルクス主義なんだよ。で、彼女のマルクス主義というのは戦後マルクス主義じゃないんだ。マルクス主義持って日本に帰ってくるんだから。そうするとマルクス主義持っている人間というのは少ないから希少価値があって、丸山眞男とか武谷とかそういうのがついてきて、交歓の場があったわけよ。で、武田清子も旦那が長幸男[*10]といって後で東京外大の学長になるマルキストですよ。そういうつながりなんだ。だから、「思想

*10 長幸男（ちょう・ゆきお 一九二四〜二〇〇七）経済学者。専修大学教授、東京外国語大学教授を経て、一九八五年に同大学長に就任。

の科学」という雑誌を始めるときにマルクス主義者でないのは渡辺慧と私だけなんだよ。あとはみんなマルクス主義に理解のある人だった。

谷川　それまではあんまり歌なんかお書きになっていらっしゃらなかったですか、和子さんは。

鶴見　いや、それ一番病だから、十八ぐらいから。おやじが日本のものを身につけなきゃいけないという主義なんだ、世界回っていると。だから七つのときから日本舞踊やっていた。それから十八ぐらいから和歌。佐佐木信綱門下なんですよ。「心の花」という歌誌があるんだ。それが学者になってから五十年、心に伏せていた。それが脳出血のときにワーッと出てきた。初めは非常にシュールなものなんだ。歌の調子がないわけ。だんだんだんだん整ってくる。で、整ってきても、もとの「心の花」のステレオタイプにはならない。おもしろいですよ。だから、それに引っ張られて、歌学に引っ張られて考えることもおもしろくなってきた。⑧

谷川　あ、そうですか。

鶴見　彼女が脳出血以後に対談いくつか出しているでしょ。これがいいね。ことに佐佐木幸綱のもいいけど、その前の中村桂子との、石牟礼道子との対談[*11]は三つともいい。そうだなあ、だから脳出血以後、一番病を脱したんだ（笑）。

＊11　佐佐木幸綱との対談『「われ」の発見』（藤原書店、二〇〇二）、石牟礼道子との対談『言葉果つるところ』（藤原書店、二〇〇二）、中村桂子との対談『四十億年の私の「生命」——生命誌と内発的発展論』（藤原書店、二〇〇二）。

谷川　鶴見さんは短歌はどうなんですか。短歌はおつくりにならないんですか。

鶴見　一番病の彼女が短歌をつくって、私は俳句。私は俳句はね、戦争中、俳句だけが読むに耐えたんですよ。海軍の酒保に行くと、酒保というのはものすごくいい本があった。つまり、戦争中は紙の統制があったでしょ。だから紙の配給が制限されていたので、渡辺一夫訳の『ガルガンチュア物語』と『パンタグリュエル物語』の最初の訳[*12]がちゃんと軍の酒保に出ているんだ。

谷川　そう。それは海軍だからかしら。

鶴見　いや、陸軍ののぞいたことないから。陸軍でも使っていたんだから、陸軍でもそう。

谷川　あ、そう。

鶴見　ジャワって陸軍地区なんだから。で、ラゲルレフ〔ラーゲルレーヴ〕の『エルサレム』[*13]の上巻とかね。これはイシガ・オサム[*14]の訳なんだ。イシガ・オサムって徴兵忌避で捕まった男なんだ。だけどそこまで情報は隅々までいかないからイシガ・オサム訳のそれが出てて、反戦小説なんだよ、『エルサレム』というのは。だから、けっこうそういうものがあるんだね。ジャワの古本屋へ行けばとにかくその当時はものすごく安かったから。私の部屋、この二倍ぐらいかな。短波なん

＊12　『ガルガンチュワ大年代記』一九四三年、筑摩書房。

＊13　セルマ・ラーゲルレーヴ『エルサレム』岩波文庫、第一部＝一九四二年、第二部＝一九五二年。ラーゲルレーヴ（一八五六～一九四〇）はスウェーデンの作家。代表作に『ニルスのふしぎな旅』がある。

＊14　イシガ・オサム（一九一〇～九四）高校教師・翻訳家。クエーカー、無教会主義に共鳴。キリスト者として良心的兵役拒否を行った。

かがついているからね。私は『ショーペンハウエル全集』、『カント全集』と『ストリンドベルヒ全集』、これが自分の気分に合ったんだ。

正津　すごいな。

鶴見　フランス語は自由にしないので、ドイツ語系なんだ。そういうのをずうっとそろえてたね。

谷川　へえ。短波放送聞いている部屋に。

鶴見　そう。

正津　軍隊で買えるものなんですか。

鶴見　酒保にあるんだから。いや、古本屋があるんだ。オランダ人が二束三文で売っていた。

谷川　ああ、そうか。

鶴見　非常にいいもの読んでいたね。日本の新聞がくると「出鱈目の鱈目の鱈」なんだよ。

紀貫之と今西錦司

鶴見　終わりまでいっちゃうとまずいのでもう少し戻ると、戦後に土岐善麿[*1]の話を聞いたことがあるんだよね。土岐善麿が日本の詩歌の話をした。日本の歌って始まりが山に向かって海に向かって呼びかける。この草とかこの石とかに自分が呼びかけるという、それがもとなんで、だからそういうコミュニケーション。つまり、それが紀貫之までいくわけなんだね。『万葉集』からずうっとそこまで。なるほど、それは確かにイギリスの詩歌の始まり、フランスの詩歌の始まり、これが一番古いところは『ローランの歌』や何かの中世の詩でしょ。だからイギリスだと『カンタベリー物語』でしょ。石に呼びかけるとか、そんな話じゃないよね、確かに。あ、こういうものなんだなと、とっても納得できた。それが歌学であって、その歌学が江戸時代もずうっとあって、近代のいろんな制度を取り入れ

＊1　土岐善麿（ときぜんまろ　一八八五～一九八〇）歌人・国文学者。東京出身、早大卒。号は哀果。一九一〇年ローマ字による三行書きの歌集『NAKIWARAI』を刊行。石川啄木と親交をむすび、『黄昏に』を発表。

ても、結局、乃木希典《まれすけ》とか児玉源太郎とかいうのはそういう歌学を持っていたんだよ。

谷川　それはやっぱり日本人のわりと古くからある一種の汎神論的な感性というものと結びついていたんでしょうか。神道なんかで最初はなんか大きな木とか大きな岩が神様で、いまもしめ縄が張ってありますよね。そういうことと、その歌の始まりというのはなんか関連があるような感じがするんです。

鶴見　近くに八幡様があるんだけど、そこに非常に古い友達が来た。彼はハーヴァードの医学部を出てカナダの大学の医学部の教授だったんだけど舞踏病の研究者でね。「セイラムの魔女裁判[*2]」、あれ舞踏病だったんだ。だから、ああいうふうになったんだ。全然、異端でもなんでもない。日本にも舞踏病があるのを研究して、うちに来たときにずっと歩いて、そこの長谷八幡というところに連れていって、彼はマルクス主義者で唯物論者なんだよ。別に日本に神なんていうのはない。ここ、当番制で二百年に一度あたるんだ。場所をきれいにする。とにかく優れた木が一本あれば、ここに神。そういう信仰だと言うと、ものすごく感心してんだよ。

谷川　そうですか。

＊2　Salem witch trials。米国マサチューセッツ州セイラム村で一六九二年に始まった魔女狩り。後世、事件の原因として、集団ヒステリー説、舞踏病説、あるいは麦角中毒によるものなど、さまざまな要因が挙げられている。

鶴見　それで、これは何だ、と。石がこうあって、「金百円」と書いてある（笑）。金も神なんだよと（笑）。だから金も含めた神なんだけども、もともとはそういう優れたものが光り輝く、そういう信仰が実は世界中にあったんじゃないかと。しかしそれがわりあいに日本では残っていて、その感覚がね。それを下地にして仏教もその上に入っちゃったから、神も仏もと。だから廃仏毀釈とかああいうのまったく人工的なのよ。漢心《からごころ》なんだし、ヨーロッパ心なんだよ。日本のファシズムというのは、あれ、ヨーロッパ心なんだよね。そういうこと考えると歌っていうのはおもしろいものじゃないか。

だが、今の政治家の国会での答弁を見ると、歌心がベースにあって、歌学がベースにあって何か言っているとは思えないんだよ。川口外務大臣とか見ていると、あ、これは柔順でずうっと東大やってきた人だな、ヨーロッパの学術知っているんだろうな、と思うんだけどさ、政治上の意見をのべても裏打ちされる歌心がないでしょ。そのことに問題がある。

土岐善麿は啄木の友達でずっときて、なかなかおもしろいんですよ。朝鮮人に非常な同情を持っていて、「ヨボ」[*3]という言葉嫌ってね。歌をつくっていていいんだけども、大東亜戦争になって相当の歌つくっちゃうんだよね。戦争が終わる。

＊3　ヨボは、朝鮮人を指す日本語の造語。韓国併合前後、侮蔑的なトーンで使われた。

そうすると彼が出した歌っていうのは「あなたは勝つものとおもつてゐましたかと老いたる妻のさびしげにいふ」。これは名歌だと思うね。やっぱりすごい。ここでは歌心に返ってる。啄木調の調子も入っているでしょ。やっぱり妻は夫と違って台所から政治を見ている。あれ、一代の名歌だなという気がするね。

今西錦司[*4]が自然科学やって京大の農学部農林生物学科出たんだけど、結局ものすごく長生きしたから、七十超えると自然科学やめた。自然学だと。で、人におぶわれて、どこの山でもいいんだね、あれ。山の上に行って、そこに氷とウイスキー持っていって、そこで冷やしてウイスキー飲むのを楽しみにしていて、そこでパーッと見る、環境の中で自然の楽しみを。偶然、最後の公開講演というのは私と一緒にやったんですよ。私がミキサーをやってた。桑原さんのやっている「創造的市民大学[*5]」の最初の回だった。初めに今西さんが、僕は二時間なんても たないかもしれない、小便が出たくなるからだめなんだと言うから、いや、小便が出たくなったらなんにも言いわけしないでパッと立っていってください、私が後つなぎますからと言ったらものすごく安心しちゃってね、二時間演説みたいになった(笑)。それで目が見えないんだね。手づくりなんだ。こういう杖をつくっているんだ。何とかの木って。切って自分でつくったんだ。これが僕の触覚なん

＊4　今西錦司（いまにし・きんじ　一九〇二〜九二）生物学者、人類学者、登山家。京都市生まれ。〈棲み分けの理論〉を発表し、独自の進化学説を提唱した。

＊5　一九八四年十二月に開講した市民講座。一九八五年七月まで全十二講座。その記録は、桑原武夫、鶴見俊輔他『創造的市民講座――わたしたちの学問』（小学館、一九八七）に収められている。

だと。家の中でもこういうところでけっこうつまずくらしいんだよ。それで自分は一個の昆虫なんだと。昆虫としてこうやって。つまり昆虫に対する尊敬があって、その中にいる。だから自然科学じゃないんだ。自分はまぶたの中にホロスペシア（生物全体社会）というのがあると。全体の種、あらゆる生きているものの種がフワーッと見えるんだ。もう信仰だよね。それで自分が昆虫になったつもりでこうやって手づくりの林で歩いているんだよ。

正津 今西先生の著作、たとえば『自然と進化』（筑摩書房 一九七八）なんかすごいですよね。なかの「自然の遊行者」という文章では、山に登って草木と一緒になる、自分が「山川草木化」してゆくとかね。言っていることがもう仙人並み。

鶴見 それがね、偶然、私は最後の演説のミキサーやって、実はそれで元気になっちゃったんで、それから後、伊谷純一郎[*6]がハックスリー賞を取ったお祝いに行くと言って、そこでもまた演説をやったらしい（笑）。それで最後。あのね、結局、それだな。自然学というところに今西錦司もいくので、これはもう歌学ですよ。歌心ですね。紀貫之に近いんだから。紀貫之と今西錦司はつながるわけなんだよ。そのように日本文化を見て、世界の人間の文化に返っていくという。アメリカインディアンのいろんな詩やなにかも盛んにいっぱい読まれるようになって。

＊6 伊谷純一郎（いたに・じゅんいちろう 一九二六～二〇〇一）霊長類・人類学者。京都大学・神戸学院大学名誉教授。一九八四年、人類学のノーベル賞と言われるハックスリー賞を、日本人で初めて受賞。

谷川　そうですね。

鶴見　モデルを考えるときに、全然、キリスト教はモデルとは違うんだよね。まず混沌。混沌から少しずつ自分の生活の必要に合わせて秩序をつくっていく。それが崩れていって、また混沌。だから混沌、秩序、混沌というモデルがね。だから、いま、いっぺんつくった秩序が壊れようとしているんだ。だから9・11というのはあそこから。偶然、あの大陸には先住民がいるのに、先住民の世界観からいまの大統領[*7]は学んだことないんだよ。そこが大変具合が悪いんだという。

　政治で終わるのもよくないな（笑）。政治は好きじゃない。

谷川　せっかく話題を用意してくださっているんですから、最後まで話題にしてください。

＊7　《ブッシュはイェールを出ている男だけど、イェールの西洋史の教授が十字軍の歴史についてきちんと教えないはずがない。それですぐに私は、ブッシュのイェール大学での席次をほぼ確定できた。イェールもハーヴァードと同じように、一学年千人くらいだと思うから、この人物は千人中、七百番と八百番の間だ、と。八百番以下になると赤点で、落第になる。落第したという話は聞いたことないから、七百番と八百番の間だな（笑）》（鶴見俊輔『言い残しておくこと』、作品社、二〇〇九）

歌学に返る

鶴見　衰亡というのは長い時間がかかる。ローマ帝国衰亡期だって長い時間でしょ。その中で人間はだれもろくな仕事しなかったわけじゃないんだ。相当なことやっているんだし、哲学の方面だってアウグスティヌス[*1]なんてそれはすごいんですよ。ほんと実存主義を先取りしたような形をつくっているし、パラケルスス[*2]だってかなり衰亡した後だよね。キリスト教には矛盾があると言うんだ。なぜかというと、キリスト教を完全に信じた者は何かいいことをやったら必ず天国で報酬がある。報酬のためにやることになるじゃない。浅ましいと。だから、いいことができる人間というのはキリスト教の信仰を持たない人間でなければならない。これはキリスト教神学のパラドックスなんだよ。ちゃんとそのことを言ってて、カトリックの神学の、まあ、一つの巨匠なんだよね。そういう逆説を抱えている

＊1　アウグスティヌス（Augustinus　三五四～四三〇）初期キリスト教・西方教会の教父。放縦の青年時代を経て、三八六年に「取りて読め」の声を聞き、聖書を繙きキリスト教に回心。『告白』『神の国』などの著作を残している。

＊2　パラケルスス（Paracelsus　一四九三～一五四一）スイスの医学者・化学者。伝統的な医学にとらわれず独自に錬金術などの実験を重ね、新たな病理観を確立。医化学の祖・医学界のルターとも呼ばれている。

ところがおもしろいところなんだけど、だんだんその逆説がわからなくなっちゃって完全にその信仰をというふうないろんな流派が出てきて、これはもともとそういうのあったんでしょう。パウロとか、やがて、ルーテル〔ルター〕とか農民戦争があって。マルクス主義はキリスト教の流れだと思うのね。リブ〔ウーマンリブ＝ウィメンズ・リベレーション〕もそうだと思う。リブまでずうっとあるんだ。完全信仰の強制が。パラドックスの自覚はうすれた。

歌学というのは見込みがあると思うね。国会にも歌学。けっこう敗戦直後にはいたのよ。金森徳次郎[*3]なんてね、あなたの言っていること矛盾しているじゃないかと追及されると、歌を書いて閣僚の中を回したんだ。

谷川　金森徳次郎が。

鶴見　うん。自分は一刀流なんだけれども、よくわからない人には二刀流に見えるんだと（笑）。やっぱり、これは歌学を心得ていたんだ。

谷川　なんか前にアイルランドの議会とイギリスの議会を比べると、アイルランドの議員のほうがはるかに詩を引用する回数が多いんだという話を聞いておもしろかったですね。イギリスの人たちだっていまだに政治家でもそういう詩なんかを引用する人たちはいるんじゃないかと思うんだけど、圧倒的にアイルランドの

＊3　金森徳次郎（かなもり・とくじろう　一八八六〜一九五九）憲法学者。第一次吉田内閣の憲法審議担当の国務大臣、国会図書館初代館長。

ほうが多いんだそうですね。

鶴見　チャーチルなんていうのはやっぱり非常に引用句多いですよ。で、チャーチルの引用する句はだいたい二流詩人なんだ。一流詩人は決して引用しない。それがチャーチルの誇りなんだ。

谷川　へえ。

鶴見　練習しているんだ、ちゃんと。

正津　なるほどね。

鶴見　"blood, toil, sweat and tears"[*4]とかね。ああいうのは二流詩人からなんだ。

正津　あれは伝統的にありますね。たとえば、いまの馬鹿じゃない大統領、前のクリントンが来たときに日本で橘曙覧[*5]の歌を引用して国会演説したんですけどね。

谷川　スピーチからちゃんとね。

正津　橘曙覧入れるって心得ているね。

鶴見　クリントンにはいいアドバイザーがいたんだ。いや、ケネディは引用うまいですよ。非常にしっかりしている。アメリカにはあまりないんだけども、イギリスにはある種の伝統はある。いまもありますね。

なにかそちらで言ってよ。

＊4　首相に就任したばかりのチャーチルが一九四〇年五月十三日に国会で演説した言葉。「私には血と労苦、涙と汗、それ以外に捧げるべきものはない」。

＊5　橘曙覧（たちばなのあけみ　一八一二～六八）江戸時代後期の国学者・歌人。越前の人。国粋思想を称え、万葉調の歌を詠む。号は志濃夫廼舎（しのぶのや）など。歌集に「志濃夫廼舎歌集」。クリントンが引用した歌は、「たのしみは朝おきいでて　昨日まで無かりし花の　咲ける見る時」（「独楽吟」）。

谷川　さっきから言っているんだけど、はぐらかされているから（笑）。

鶴見　あ、まだ一つあった。

谷川　ありましたか。じゃ、それを。

鶴見　あのね、十九世紀の終わりから二十世紀にかけてヨーロッパでものすごく心霊術が流行ったんだ。で、イギリスでは非常に突出した自然科学者が心霊術の会の会長になっちゃったわけ。サー・オリバー・ロッジ[*6]とかね。アメリカでも。日本ではね、東大にいっぺん入ったんだけど、東大の助教授で、実験でインチキしたというので東大を追われちゃったりして途切れちゃうんだ。[*7]だけどイギリスとアメリカでは絶えないんだ。イギリスでは、一九三九年ぐらいですとH・H・プライス[*8]というのがいて、オックスフォードの哲学の教授なんだけれども、これがその流れを。心は、昔、科学が始まった頃に考えられたような箱ではない。孤立した箱ではない。いつでもこう何かフワーッと外へ発信しているというわけね。そういう説で、経験の分析というのだけをストレートにやった人なんだけどね。だから、そばにいる人にきわめてあいまいながらもこう発信しているわけ。で、こういう説で、心箱説というのはもう取り入れることはできない。集団の動きというのは確かにあるでしょ、社会心理学の。劇場でだれかが「火事だぁ」ってど

＊6　サー・オリバー・ロッジ（Sir Oliver Joseph Lodge 一八五一〜一九四〇）イギリスの物理学者。電気通信、熱、エーテルの研究をするが、息子の死をきっかけに心霊現象に傾倒していった。

＊7　東京帝国大学助教授の福来友吉（ふくらい・ともきち　一八六九〜一九五二）は一九一〇年、熊本在住の御船千鶴子の千里眼の能力は本物だと発表してセンセーションを起こす。次いで、愛媛県丸亀在住の長尾郁子の念写能力も認めるが、前帝大総長・山川健次郎らの物理学者のグループが長尾の念写はトリックだと実証。その後福来は

なると、そこにいる千人の中で一番低い知能の人が引っ張るようになる。その千人の中に非常に知能の高い人が火事の証拠はないとかいうことを考えていても引っ張れないわけ。だから、いまのあの人は非常に似ていると。数日前の「天声人語」に短く書いてたけ*9ど、感心したね。そういうものなんですよ。千人の人間が閉じ込められれば、自然にこうなるわけね。

　動物心理学でも奥に攻めていって死角に入られることを非常に動物は嫌うし、馬は後ろにいくと蹴飛ばされるんですよ。前からいけばいいんですけどね。そういういろんなことがあるんだ。だから動物との関係でいえば、さらにさらにその心は箱じゃないというのがはっきりするわけで、そういうペットと老女の関係、ペットと小さい子供の関係、それからプラント、植物ね。私がカナダにいたときに停電があったんですよ。で、十数時間、高層建築に閉じ込められた老女がいて、どうでしたかって終わってから新聞記者が行くんだね。と、その老女が、いや、私には、天井からつるしてあるプラントがあるんだ、植物と一緒にいる限りはまったく不安は感じませんと言ったんだね。新聞に出ていたんだ。あっという感じだね。だから、老女が別に二十四時間ぐらい人間と話さなくったって平気なんだ。『夜と霧』に出てくる。ある老女に、どうしてあなたはそんなにいつも明る

東大を辞職するが、超心理学の研究は続けた。

＊8　H・H・プライス（Henry Habberley Price 一八九九〜一九八四）イギリスの哲学者。テレパシーや透視など超心理学の研究もなす。

＊9　《「ラッシュアワーだったらどうなっていたか。想像するだけで恐ろしい」と地下鉄火災について韓国の新聞が書いていたが、それでも死者が100人を超える大惨事である。なぜ被害があれほどにも大きくなったのか。言い換えれば、被害を最小限に食い止めるにはどうしたらいいか。教訓は多々ある。／放火さ

いんですか、と。フランクルに出てくる有名な話ね。あの樹は私だと言ったんだ。*10 だから、そうなってくるともうさっきの土岐善麿の話ととっても似てくるんだね、これ。近代を超えちゃう。

谷川 この前、チョムスキー*11のDVD「チョムスキー9.11 Power and Terror」を見ていたら、鶴見さんがお話しになっていて、チョムスキーが明るいということを言っていらっしゃいましたよね。

正津 僕はあの映画の上映会に出かけましたが、しきりにおっしゃっていましたね。

谷川 鶴見さんも明るいですよね。内に何を抱えていらっしゃるかわからないけども。

鶴見 チョムスキーは明るい。ダグラス・ラミス*12に、どうしてあんなに明るいんだろうと言ったら、ラミスの答えは、兵隊に行ったことがないからだよと言うんだ。

谷川 なるほどね。そういう見方もある。

鶴見 ラミスは兵隊出身だから。絶望的だ。チョムスキーは絶望的なものを持っているとすれば、それはユダヤ人としてね、アウシュヴィッツの体験とは歴史的

れた車両より、後からホームに入ってきた対向車の方が犠牲が多かった。このことが示すように、情報伝達と、とっさの判断がいかに大切か。対向車を事前に止められなかったのか。対向車から脱出が難しかったのはなぜか。状況判断と指示が不適切だった可能性がある。》（朝日新聞「天声人語」二〇〇三年二月二十日）言及されている地下鉄火災は、二〇〇三年二月十八日、韓国大邱市の地下鉄で、乗客の放火によって起こったもの。死者百九十二名、負傷者百四十六名という大惨事となった。

*10 鶴見は老女といっ

につながっているから。彼とは、一度だけ一緒に飯を食ったんだけども、日本に来て、どうして原爆のことをこれだけ忘れているんだろう、自分はユダヤ人だ、自分が原爆を落とされたことがあったら常にそれは自分の中にある、と言うわけね。ところが、あの映画見るといつも明るいんだよね。

正津　そうですね。驚きましたね。

鶴見　あの表情って不思議だな。たとえばハーバート・リード*13の『グリーン・チャイルド』（一九三五）というただ一つの小説があるんだけど、主人公はもともとイギリス人なんだけど早く南米にいって、南米で革命起こして成功して大統領になっちゃうんだよ。大統領になると窮屈で困るんだ。なんとかして去ることはできないかと思っていろいろ仕組みを巡らして、クーデターだ、ドーンと地雷が爆発して殺されたということにして、逃げて帰ってきた（笑）。で、イギリスに帰ってきて、ふるさとのあたりに行くと、もう知った人、全然いないんだね。川のそばでだれか乱暴な男が女をいじめているんだ。女は無抵抗。そして詐術を弄《ろう》して男を川に落っことして女を助けてやると、女が地下の自分の国へ連れていく。地下には国があるんだよ。そこでその女と一緒に暮らしてだんだん寿命が尽きようとする。女と別れて長老のところへいって、もう自分は死ぬと。長老がね、

ているが実際には若い女性。《この若い女性は自分が近いうちに死ぬであろうことを知っていた。それにも拘わらず、私（注・フランクル）と語った時、彼女は快活であった。「私をこんなひどい目に遭わしてくれた運命に私は感謝していますわ。」（中略）その最後の日に彼女は全く内面の世界へと向いていた。「あそこにある樹はひとりぼっちの私のただ一つのお友達ですの。」（中略）「あの樹はこう申しましたの。私はここにいる――私は――ここに――いる。私はいるのだ。永遠のいのちだ……。」》（『フランクル著作集1　夜と霧』霜山徳爾訳、みすず書房、

クモとトカゲとどっちかを選べ、供としてね。というのは、人間は自分の心の内部だけを見つめていると非常に不健全になって心が砕けてしまう。で、彼はクモを選ぶんだったかな。で、洞穴の中にいてジーッとクモがいて生きていく。ある一定のときに仲間がえさを運んできて少しずつ余命を保っているんだけど、あるとき食わなくなって死ぬ。葬式が行われるんだけども、その葬式が偶然、別れた女性の葬式と一緒だったという話。私が好きな話なんだけどね、『グリーン・チャイルド』。それはやっぱり最後のところはクモだと。これ、考えると日本の歌心というかな、歌学に返っているんだよ、イギリス人が。ハーバート・リードなんて前衛的な美術の評論家だったし、詩も「ナップザック」（一九三九）という詩の選集があったよね。歌学に返っていたんだな。

　つまり、最後は石になって存在語になるんだけど、それ、地球が痕跡としての地球になって、痕跡というのは一種の記憶のメカニズムなんだね。それによって人間の来た道をたどることはできるわけだ、復活させれば。そういうものとして宇宙間の別な存在が来れば、存在と存在との対話になるかもしれない。そしてわれわれの記憶も返ってくるかもしれない。わからないが。そのへんを目指す方向に個人としてもいけるんじゃないか。日本の詩歌の伝統としてもそれはあり得る

一九七一）

＊11　エイヴラム・ノーム・チョムスキー（Avram Noam Chomsky　一九二八〜）アメリカの言語学者、哲学者。マサチューセッツ工科大学教授。「生成文法」と呼ばれる独自の理論体系を確立した業績のほか、反戦運動等の市民運動に積極的に参加することでも知られている。「チョムスキー 9.11 Power and Terror」は、監督＝ジャン・ユンカーマン、企画・制作＝山上徹二郎、劇場公開は二〇〇二年九月。

＊12　ダグラス・ラミス（Charles Douglas Lummis　一九三六〜）

んじゃないか。だけど、まあ、明治六（一八七三）年からの教育制度はそういうものをとらえることができなかったわけだ。わりあいに小学唱歌なんていいものがあるんじゃないかなと思うんだけどね。相当の努力はしたと思うけどね。だから長い年月をかけての退潮期なんだ。退潮期として自分個人はどういうふうに生きていくかを考えたほうがいいんじゃないかなと。

アメリカの政治学者、評論家。日本在住。一九五八年にカリフォルニア大学バークレー校卒業後、三年間海兵隊に入隊、最後の一年を沖縄で過ごす。一九六八年に再来日。ベ平連に参加。

＊13　ハーバート・リード（Herbert Read　一八九三〜一九六八）イギリスの詩人、文芸評論家、美術評論家。フロイトやユングに影響を受けた美学思想をもとに、幅広く評論活動を行った。

矛盾を抱き取る

――一つ質問させていただいてもよろしいでしょうか。鶴見さんからすれば聞き飽きた質問かもしれないんですけども、やはり僕は詩と哲学の違いを伺いたいような気がするんです。たとえば詩と哲学、詩があって、それから哲学が生まれたような気がするんですよね。詩と哲学というのは一見似てはいるんだけど、決定的に違うところがあるような気がして、その違いというのは何かなというのを時々考えることがあるんですけれども。〔発言者はmidnight pressの発行人で詩人の岡田幸文。以下同〕

鶴見　詩は一つには音楽とか最終的に存在語になっていくけど、影の男みたいな形でしょ。だけど哲学のほうは論理的な矛盾がないようにしなきゃいけないという規則が近代に入ってから、ヨーロッパの近代から出てくるんですよ。だけど、これ、ヨーロッパの近代だけなので、いや、六十何年も前に会ったアメリカ人がこう言ったね。プラトンも孔子も偉大な哲学者といわれているけど、自分は孔子を読んでみて偉大な哲学者と思えないと言うんだよね。そのとき私はヨーロッパ哲学を勉強していたのでパッと答えられなかったんだけど、いまになってみりゃ、そのとき十七だったんですけど、もう六十三年経ったんだけど、重大な問題というのは六十三年ぐらい経って初めて答えが（笑）。そのとき反論すればよかった。じゃ、モンテーニュ、どう思いますか。そういう感じだね。だから、『論語』、『老子』、『荘子』、これ、心にあるんだよ。荘子は虫見て、セミみたいなの見てて、それねらっている鳥を見てて、あ、しまったと見たら番人が追っかけてくる。自分を盗伐者と間違えて。で、バーッと逃げてきて、自分がうかつであったと考えて、しばらく部屋にこもってた。それが『荘子』に出てくるでしょ[1]。これ、ほころびがあるよね。だから、哲学にはほころびがあってはいけないのか。

私を教えてくれたカルナップ[2]というドイツから亡命してきた哲学者が、これは非常に若くして「世界の論理的構成」（一九二八）という論文を書いた。かっちり無矛盾。それの論理の体系というのを私は一年講義を聴いた。一年というと二つの講義なんだけど、矛盾がないわけ。だけど同じときにその流派、源流にいた人

＊1　『荘子』山木篇の「蟷螂窺蝉（とうろうきせん）」。

＊2　ルドルフ・カルナップ（Rudolf Carnap 一八九一〜一九七〇）ドイツ出身のアメリカの哲学者。論理実証主義、分析哲学の代表的論客として知られる。一九三五年にナチスから逃れ渡米。シカゴ大学、カリフォルニア大学などで教える。

がやっぱりまだ同じ大学にいるんだよね。一つは離婚問題でニューヨーク大学を追っ払われちゃったラッセル⑨が来てて、ハーヴァードが受け入れて十二回の講義を頼んだんだけど、それからラッセルとホワイトヘッド[*3]がつくったのが数学原理。

　ホワイトヘッドの最後の講義を偶然、私は聴いたんだよね。最後、なんかパッと降りちゃったんだ。そのとき何言ったんだかわからなかったんだ。ずいぶん後になってその講義が出ている本を取り寄せて、その最後の言葉が何だったかというと、最後の言葉は「イグザクトネス・イズ・ア・フェイク（Exactness is a fake）」、つまり、精密さはまがいものだ、インチキだと。「フェイク」って俗語ですよね。つまり、ウィーン学派[*4]の哲学はアメリカの哲学界を支配しているわけだから、それに対するはっきりした反論なんですよ。精密さなんていうものはつくりものなんだ。実はぼんやりしたものであっても、それが現実だと。

　ラッセルのほうは十二回講義していて、「自分の言っていることは全部疑わしい」という命題は論理学的にいえば成り立たない。なぜかというと自分で自分の足引っ張っているんだから。しかし疲れてうちに帰ってくるときに、ああ、俺の言っていることは全部疑わしいな、と一瞬の感情に自分が包まれることを排除することはできない。だから、その場合、ラッセルは生きている人間として哲学を

＊3　アルフレッド・ノース・ホワイトヘッド（Alfred North Whitehead 一八六一〜一九四七）イギリスの数学者、哲学者。ラッセルと共に記号論理学を確立。一九二四年から亡くなる四七年までハーヴァード大学で教鞭を執った。

＊4　ウィーン学団とも。一九二〇年代後半に、ウィーン大学教授のモリッツ・シュリックを中心に結成された学者のグループ。「論理実証主義」と呼ばれた立場から、従来の哲学の大半を占める、論理記号によって正否を決定できない命題を「形而上学」として退け、哲学の科学化を目指した。

語っていて、カルナップは一つの形として精密な論理の体系をつくっているからちょっと違うんだ。

もう一人、間にいるのはヴィトゲンシュタイン、[*5] これはラッセルのゼミにいた学生だったんだよね。彼は最初の論文で、ある命題と現実の双方をどういうふうにして比べられるかと。比べるためにはもう一つ高次の言語をつくらなければならない。その高次の言語がどうして正しいかというのを知るためには、また高次の言語、メタ、メタ、メタ、どんどんどんどんメタ、メタ、メタと上がっていくわけ。結局わからないじゃないかと。わからないことは言うべきではないと。これが最後の言葉なんだよ。これが最初の重大な著作なんだけども。ところが二十年か何年か哲学者やめていて、あれ、もともとめちゃくちゃな金持ちなんだ。で、金から逃れるために必死で努力して、最後になんかうまい具合に逃れたんだけども、ケンブリッジの哲学の教授になったんだね。そのときどうしてなったかというと、哲学者はあまりにひどいじゃないかと。つまり、こんなあいまいにあいまいを重ねるよりもう少しはっきりさせる、少しははっきりさせる努力はしたほうがいいと考えたんで、それで講義に復帰したんだ。

それが、どういうのかな、ラッセル、ホワイトヘッド、ヴィトゲンシュタイン

＊5 ルートヴィヒ・ヨーゼフ・ヨハン・ヴィトゲンシュタイン（Ludwig Josef Johann Wittgenstein 一八八九〜一九五一）ウィーン出身の哲学者。一九一二年、ケンブリッジ大学のラッセルの下で数理論理学を学ぶ。ラッセルの序文付きで刊行された『論理哲学論考』（一九二二）の中の「語り得ぬものについては沈黙しなければならない」が有名。

までそうなんだけど、その後のアメリカを風靡した科学哲学というのは精密追求というふうになっちゃったわけね。これやるときちっと公式ができるでしょ。きちんと公式ができるのが好きなんだよね、学者というのは。だからカルナップとかは、いま日本では哲学科では流行ってますよ。

谷川　あ、そうなんですか。

鶴見　流行ってます。一対一で私の家庭教師した人がいるんだ。クワイン[*6]といってね、その頃、三十そこそこだったんだ。毎週、私はそこに行って一緒に決めた本読むんだけども、やっぱりクワインが言うのは、物と言葉とを混同しない。言葉と物とは違うんだということをちゃんと峻別して論理学の体系をつくっているのは世界でいま三人しかいない。カルナップとタルスキ[*7]と自分だと言うんだよね。自分を教えている先生がそんなに偉いのかと思って、眉唾ものだったんだ。そのうちにラッセルが来てるからね。学生の会に呼んだんですよ。そのときにラッセルが初めに枕を振ったんだけども、題名は「インコメンジャラビリティー(incommensurability 共約〔通約〕不可能性)」、計測できないものという題名。この問題についてはクワイン先生のほうが私よりずっとよく知っていると思うんですが、と言ったんだ。ラッセルは七十を超えているんだよ。九十いくつまで生きたんだけ

＊6　ウィラード・ヴァン・オーマン・クワイン（Willard van Orman Quine　一九〇八〜二〇〇〇）アメリカの哲学者、論理学者。ハーヴァード大学でラッセル、ホワイトヘッド、カルナップらに学び、のちに論理実証主義を批判し、独自の意味論と存在論を構築した。

＊7　アルフレト・タルスキ（Alfred Tarski　一九〇一〜八三）ポーランド出身のアメリカの数学者・論理学者。記号論理学における意味論の開拓者として知られる。

ども。だから、だいたい一九〇〇年頃から名前知られている人でしょ。一方のクワインというのは私のチューターにすぎないわけ。ああ、アメリカの学界というのはこういうふうに有名ということと全然関係ないんだなと。非常にそのことに強い印象を受けたね。日本だったらあり得ないよ、それは。で、クワインがその後どうなったかというと、私に教えたときじゃないんだ、後でクワインの論文を見ると、どうしてもその精密な言語をつくるのに最初に決断が要る。これはまったく構造の形だと。で、彼の立場はそのへんからラディカル・プラグマティストに、根本的プラグマティズムという立場に変わった。彼の立場がちょっと変わったわけだね。

いまの四つの例を挙げて、ラッセル、ホワイトヘッド、ヴィトゲンシュタイン、それからクワイン、死んじゃったけど、こうやって見ると、いまの試みの問題も彼らなりに扱うやり方があって、しかし公式をきちんと出すのはきれいにいくから、大学の学科としてカルナップというのは依然として非常に力がある。覚えちゃえばいいわけでしょ。だから、問題は自分の生き方のほころび、考えのほころびというのにどう対するか。哲学者はそこで無矛盾で一つの言葉をつくらなきゃいけないという考え方にとらえられると、詩とはずいぶん違うところにいくでしょ。だけど詩のほうもきれいな形につくりたいという欲望があるでしょうし、きれいな形というのはあると思うんだよね。だけど、そのきれいな形を少し崩してもいいじゃないか。崩した形のほうがおもしろいじゃないかとかね。そういう魅惑の基準もあるでしょう。

谷川　日本の自由詩なんかやっぱり少なくともそういうふうになってきちゃってますよね。やっぱり定型、五七五の非常に強力な伝統があったのに対して、まあ、最初はヨーロッパの形を真似たりなんかしてたけども、だんだん崩れてきて、いまやもうほんと形はあってなきがごとしというのがけっこう流行ってますから。

鶴見　谷川さんも入っておられる連詩[*8]の運動なんてね、混沌から秩序に向かっていって、秩序があんまりというので、もう一回、混沌。

谷川　そういうところもありますね。

鶴見　途中の混沌との相互乗り入れみたいなところに連詩の運動があるでしょ。

谷川　僕は、でも、基本的に詩というのは、シモーヌ・ヴェイユの言った言葉で、「矛盾こそが現実であることの証しだ[*9]」という言葉がすごく好きなんですけども、だから僕も若い頃はあんまりその矛盾ということはよくないなんて思っていたんだけど、だんだん中年ぐらいからほんとは全部矛盾しているんだというふうに思

＊8　《行数およそ四、五行ないしそれ以上、各行の長さも不定という自由詩（つまり「いわゆる現代詩」）を連ねてゆく》もの（大岡信『連詩の愉しみ』岩波新書、一九九一）。

＊9　「精神がぶちあたるさまざまな矛盾、矛盾だけが現実のすがたであり、現実性の基準だ」（シモーヌ・ヴェイユ『重力と恩寵』。田辺保訳、ちくま学芸文庫、一九九五）

えるようになってきて、それから詩というのは散文に比べて少なくとも矛盾したものを矛盾したままに抱き取れる言語の可能性があるというふうに思うようになりましたけどね。

鶴見　ことに連詩ということから考えると、違う人間がそこでやらなくちゃいけない。

谷川　そうなんです。

鶴見　トーマス・ハーディ[*10]に「山上の一夜」という短編があるのよ。山の中で知らないやつが閉じ込められちゃって酒を飲みながら歌を歌うという話なんだけど、その一人が朗々と歌を歌うわけね。と、それ、自分は絞首刑の執行人なわけ。悪いやつを首絞めて絞首台に送るという歌なんだよ。そうするとその中の一人がバーッとルフランに合わせて、絞首台で首くくり、とものすごく歌で合わせていくわけ。で、しばらくして夜が明けて散会するんだよね。そうするとその朗々と歌を合わせていた男が実は、その翌日、絞首刑があるはずの男だったというのがあるんだ、脱獄していたんだよ。ところがいろいろ考えてみると、その情状からいって十分に同情に値するというので、その伝説が街に広がったという話。私は、このハーディの話っておもしろいと思うんだけどね、連詩のおおもとの連歌を思

＊10　トーマス・ハーディ（Thomas Hardy　一八四〇～一九二八）イギリスの小説家・詩人。十九世紀イギリス文学の代表的人物の一人。日本でも戦前から英語の教科書に用いられるなど広く知られていた。

い出したんだよ。連歌ってこうやっていくでしょ。その中にひとり石川五右衛門がいて、連歌の中にパッと投げ入れたら、釜ゆでにされるにしても、釜ゆでの前に。これ、釜ゆで前の石川五右衛門も入れることのできるようなおもしろい形式じゃない？

谷川　そうですね。外国でやるとほんとにそう思いますね。向こうの詩人はやっぱり初めはものすごく抵抗感があるんですね。そんな公開の場で詩なんか書くのはトイレのドア開けっ放しにしているようなものだと抵抗しているのが、一日二日やっているうちにだんだん入ってくるんですよね。それがすごく大岡（信）なんかも感動していますけども。

鶴見　それはおもしろいよね。

谷川　おもしろい。違う要素がちゃんと同居できるような形ですね、連詩、連歌というと。

谷川雁の思い出

正津　鶴見ゼミの卒論のこと、いまでも覚えているんですけど、書く雰囲気なんかまったくなくて、卒業できると僕は思っていませんでしたし。先生もなにもおっしゃらない。で、いまバラしますけど、何書いたらいいかわからないんですよ。卒論提出日の三週間ぐらい前になっても。その時、当時の新進詩人、「プアプア詩」の鈴木志郎康[*1]さんが実に奇天烈な詩集『罐製同棲又は陥穽への逃走』(季節社　一九六七)を出したばっかりなんですよね。

鶴見　鈴木志郎康、そう。

正津　その詩集の長文のあとがきがすごくイカシてたんですよね。それをちょっとアレンジしたんですけど、ほとんどパクって写したんですよ。で、先生にお持ちしたんですね。すると先生がおもしろいとおっしゃる。そこで、ほんとのこと

＊1　鈴木志郎康(すずき・しろうやす　一九三五～)詩人。早稲田大学卒業後、NHKのカメラマンとして勤務。六四年、天沢退二郎、渡辺武信らと詩誌「凶区」を創刊。上掲の詩集の中の「プアプア」という女性をモチーフにした詩によって「プアプア詩人」と呼ばれた。

を言わなきゃいけないと思って、実は鈴木志郎康という詩人の文章をほとんど写したんです、と。六十点の及第点にも及ばないんじゃないかと思ったら、八十点ついてました(笑)。その時、先生がおっしゃったのが、新人の仕事を発見してそれをちゃんと写してくるだけでも偉いとおっしゃられて、そこに少しでもオリジナリティを入れたのがまた偉いと(笑)。なんと返事したものか、ただ恥ずかしくて。

谷川　すばらしい。

正津　だから、もしその卒論が学校に残っていたらちょっと恥ずかしいですね。なにしろ『罐製、同棲〜』というのはすごく変な詩集でね。知ってる？　すごく長いあとがきがあったの、二百枚ぐらいの。感動しちゃったんだ。

鶴見　私は鈴木志郎康で一つ覚えていて、なるほどと思ったのが、彼は白土三平が嫌いだ、と。ずうっとみんなが白土三平のブーム[10]があってから、その中で斬られるやつがウッとかアッとかいってすぐ斬られてしまうじゃないか、その立場から見るから自分はいやだ、と。卓見だと思ったね。

正津　卓見だね。まあ、そういう先生だったんです。ちょっと先生もおかしかったんじゃないですか、あの頃。

鶴見　いや、立ち直ったところだった。
正津　不思議なことばかり言ってましたよ。
谷川　あ、そう。
正津　ええ。だから、卒論に生け花のこと書くやつとかね。変なのがいましたよ。
鶴見　生け花いっぱい、三人いた。いまもその二人残っているよ。あの時、就職するの大変でね、生け花が引き取ってくれたんだ。未生流[*2]が。
正津　最初に先生がおっしゃった、僕が先生のお家《うち》に突然伺って、ずーっと黙っていたというのは就職の相談に行ったんだと思うんですよね。そしたら谷川雁⑪のお弟子のところへ行けと。
谷川　そうか。おもしろい時代だったね。
正津　そうそう。それで谷川雁さんに会ったんだ。テック[*3]がちょうど大阪に来る時で、僕はミーハーだから行って。山師だね、雁さんは。後年つき合いあると思わなかったから、その時、テックの社長か何かで大阪支社のテコ入れで来たんですよね。
鶴見　重役。取締役。
正津　それがカチンときたわけですよ、学生だからさ。で、雁さんに言ったんで

＊2　江戸の文化年間に未生斎一甫（みしょうさいいっぽ）が創流した生け花の流派。幾何学的理論に基づいた花形の中に東洋哲学を融合。

＊3　言語教育の会社。一九六五年、谷川雁は幹部に迎えられた。現存のラボ教育センター。

すけど、三池争議をやっていた人が、なんでこんなビルにいて偉そうにふんぞりかえっているんですかって。すると、「君はまだ若い」って一笑され、これは抵抗の姿勢だと言ったんだよね（笑）。それで僕も食ってかかって、おかしいじゃないですか、と。「君、何が欲しいんだ」ときて、言うことがふるっている。「よし、君にはヘリコプターを買ってやろう、ゲリラになれ」ですよ。

谷川　オーバーだな。

正津　すごく変なおやじだなと。

鶴見　雁はよく私のところへ来たんだよ。いつでもいばっているんだよ。

谷川　そう、いばっているんですよね。

鶴見　雁は私より一つ下なんだよ。谷川さん、と言うと、なんだい、鶴見君、って言う（笑）。うちにやって来て、ウナギとったんだよ。ウナギを食べないで、どんどん酒ばっかり飲んでいるんだよ。で、私の息子が小学生でね、ウナギとって食べないと気になるんだよ。谷川さん、ウナギが冷めますよ、と言ったんだよ。そしたらまず雁はグーッと反り身になって、ウナギは冷めたのがうまいんだよ、と（笑）。まだ負け惜しみ言ってるんだ。

正津　そう、負け惜しみ。

鶴見　で、ある時、谷川さん、学校でもちろん一番だったろ、と言ったんだ。そしたらヒュッと顔そむけて、顔赤くして、田舎の学校だったからね、と。その時だけなんだ。一番は恥じることだと。だから一番病じゃないんだ。
正津　おもしろかったよ、雁さんは。
鶴見　雁はおもしろい。いや、人から聞いたんだけど、東大社会学科で学徒動員にひっかかっちゃったんだ。その時に送別会があったんだよね。そしたら彼は立って、「奴隷の言葉でもいい、何かを言い続けようではないか、イソップは奴隷だった」と。その二行なんだよ。だから、その時、一九四三年、日本をむこうにまわして雁はひとりの詩人だったんだよ。すごいと思ったね。それ、人から聞いたんだけど、四三年にそれ言うというのはすごい。
正津　啖呵を切る男だったね。
鶴見　とにかくね、負け惜しみなんだよ。いまの、ウナギは冷めたのがいい、うまいんだよ、という話を九州の炭鉱に残った彼女、森崎和江[*4]に言ったら、笑ってね。私も雁と一緒にいた時に、あなたはいつもいばってばっかりじゃないのと言ったら、雁が妙に折れて、僕からいばったところ取ったらもうなにも残らないと（笑）。

＊4　森崎和江（もりさき・かずえ　一九二七〜）詩人、ノンフィクション作家。一九五八年に谷川雁、上野英信らと炭鉱の町・筑豊を拠点に月刊誌『サークル村』を創刊。労働闘争に参加し反権力の立場から著述を続けた。著書に『からゆきさん』（一九七六）など。一時期谷川雁と一緒に暮らしていた。

——谷川さんは、雁氏とは。

谷川　親しくはないけど、仕事もらいました。絵本の仕事をね。いかにも詩人は貧乏だから原稿料払ってやるという感じでしたね。ほんとにいい原稿料くれるの、本にならなくても。流れちゃったんですよ、例のテックの英語教材の話だったんだけど。僕、ほかの出版社から出しちゃったんだけど、その時、見せに行って、読んで、まあ、いいだろうということで、すぐ原稿料払ってくれた。

正津　まあ、いいだろう、と。

谷川　そういう感じで(笑)。

鶴見　はったりかます人間っているんだよね。

正津　いや、あの人はおもしろいよ。まず背が高くてがっちりしているし。

谷川　そう。苦み走ったいい男だしね。

鶴見　私のうちの近くに雁の弟が住んでいる。谷川道雄[*5]というのね。これは非常に立派な学者なんだ。中国の時代区分をやっているんだ。五千年ずっと見るわけだから大変なんだ。彼が名古屋大学の教授だった時に壊疽《えそ》にかかって足切っちゃったんだね。やがて京大へ移って、うちの近くにいたんだけども、バス待っているんだ。こうやって待っているんだけど、風格があるんだよ。雁が来た時に、

＊5　谷川道雄（たにがわ・みちお　一九二五〜二〇一三）東洋史学者。雁の兄の健一は民俗学者。

よく道雄さんに会うけども、あの人は雁さんよりずっと風格があるよ、と言ったら、その時に雁が言うの。なあに、フリークにはかなわんよ（笑）。醸し出す風格にはかなわない。とにかく負け惜しみの強い男だったな。

正津　そうでしたね。書くものもまったくそうでしたね。

谷川　そうね。晩年なんか歌詞を一生懸命つくっていましたよね、新実（徳英）[*6]さんと一緒に（合唱曲「白いうた 青いうた」の制作ほか）。それから俳句やってたでしょ。その時もおもしろかったな。

正津　モテすぎたんですよ、雁さんは。

谷川　でしょうね。

正津　どうしようもない。

谷川　矢川（澄子）[*7]さんなんかどういうふうに扱われたのか心配ですよ。いまさら遅いけど、心配しても。森崎さんは、でも、ちゃんとなんか批判する視点を持ってましたからね、雁さんに対して。

正津　はっきりしてましたね。

＊6　新実徳英（にいみ・とくひで　一九四七〜）作曲家。谷川雁との共作「白いうた　青いうた」全五十三曲は様々にアレンジされ、広く支持されている。

＊7　矢川澄子（やがわ・すみこ　一九三〇〜二〇〇二）作家、詩人。澁澤龍彥の最初の妻であり、離婚協議中に谷川雁との再婚話が持ち上がるが、実現せず。

父のこと、母のこと

鶴見　谷川さん、起源は京都にもあるんでしょ。

谷川　そうです、母（多喜子）方は。もともとは東京生まれなんですけど、すぐに淀に来たから。

鶴見　京都は、どのへんに住んでおられたんですか。

谷川　淀町という京都競馬場のあるところです。

鶴見　ああ、淀競馬か。

谷川　うちの祖父長田桃蔵[*1]が政友会の代議士で、競馬場をつくるとか奈良電つくるのになんか関係していたらしいんですね。

正津　競馬場つくったんですか、ワルですね。

谷川　淀城の外堀使ったすごい屋敷でね。家の中に坂があるんですよ、廊下に。

＊1　長田桃蔵（おさだ・とうぞう　一八七〇〜一九四三）。政友会の代議士として衆議院議員を四期務める。奈良電気鉄道専務、京都競馬倶楽部理事長などを歴任。

＊2　谷川徹三（たにかわ・てつぞう　一八九五〜一九八九）哲学者。谷川俊太郎の父。法政大学教授、同大総長を務める。林達夫とともに雑誌『思想』の編集に携わる。宮沢賢治の研究をはじめ、美学・社会・文化・思想など多方面での評論活動をおこなった。俊太郎の母・多喜子と徹三が交わした恋文を俊太郎が編集した『母の恋文――谷川徹三・多喜子の手紙』

上り坂の廊下なんかあるような。トイレが六つぐらいあるような。うちの母と姉は、なんかその城の中の美人姉妹で有名だったらしいですよ。

鶴見 それはそうだ。

正津 それで常滑のおやじ（父、谷川徹三[*2]は愛知県常滑市生まれ）にだまされたんだ。

谷川 そう。常滑の大学生がやって来てたぶらかしたの。でも、林達夫[*3]さんとか三木清[*4]さんとか、うちの母、けっこう交流があったんです。林達夫さんはすごくたくさんうちの母に手紙くださっているんですよ。いまだに僕持っているんですけど。

鶴見 すごいな。

正津 それはラブレターじゃないですか。

谷川 ラブレターじゃなくて、すごく真面目な。

鶴見 林達夫は一高でやめちゃうんだよ、おやじとけんかして。おやじがセンチュリーの字引をこれはおまえにやると言うと、そんな古ぼけたの要らないと言って、それがけんかになってうち出ちゃうんだよ。それでおやじから金もらうのいやだから一高を卒業しないの。で、京大、あれ、選科なんだよ。三木、谷川、林って一高の同級生なんだ。だけど林達夫だけは選科だったんだ。

（新潮社、一九九四）がある。

＊3　林達夫（はやし・たつお　一八九六〜一九八四）思想家、批評家。西洋の思想、文化、芸術に関して博覧強記を誇り、アカデミズムとジャーナリズムの接点で活躍。谷川徹三とは一高、京都帝大時代の学友。やはり一高、京大の同窓である三木清の上昇志向ぶりを見事に描いた「三木清の思い出」は有名。

＊4　三木清（みき・きよし　一八九七〜一九四五）哲学者。京都学派の代表的人物。京都帝国大学で西田幾多郎に、ドイツ留学中にはハイデガー

谷川　三木清のラブレターって、うちの母が焼いちゃったんですよね、父と結婚する時に。

正津　なんでまた。

谷川　ねえ。いま考えると。

正津　もったいないな（笑）。

谷川　古書市場なんかに出したらけっこうもうかったのに（笑）。

正津　田辺元と野上弥生子[*5]さんてすごいんだよね。

谷川　そうだってね。

正津　この前、ものを書くので調べたら、田辺元は固辞するんですよ、そういう関係になるのを。でも、野上さんは今日そうなってもいいと書いているんだよ、手紙に。こわい。

谷川　弥生子さんは安倍能成とも親しかった。謡《うたい》を習っていてさ。

正津　野上弥生子、すごいよ。

谷川　豊一郎さん、すごく感じのいい人だったのに。

鶴見　野上弥生子の憧れの人は中勘助[*6]だったんだよ。

谷川　そう。それはもう。

に師事した。大学時代を振り返った「わが青春」（一九四二）にその名が登場する。

＊5　野上弥生子（のがみ・やえこ　一八八五〜一九八五）小説家。漱石門下であった野上豊一郎と一九〇六年に結婚。自らも漱石の指導を受けた。晩年には哲学者の田辺元（たなべ・はじめ　一八八五〜一九六二）と大量の書簡を交わし、知的な愛情関係を形成した。

＊6　中勘助（なか・かんすけ　一八八五〜一九六五）小説家、詩人。夏目漱石に師事し、朝日新聞に『銀の匙』を連載。野上弥生子から求婚を受

正津　中さんと、その後が田辺元さんで。

谷川　田辺元さんともずいぶん後になってから、戦後ね。

正津　すごく熱い手紙を送っている。今度、岩波書店から二人の書簡集『田辺元・野上弥生子往復書簡』（二〇〇二）が出た。

鶴見　富岡多恵子の『中勘助の恋』（創元社　一九九三）ってのおもしろい。

谷川　おもしろい。僕も読みました。

鶴見　とてもいいんだ。

正津　ちょっと異常だね、あの人。中勘助って。

鶴見　あれは幼児愛だね。

正津　幼児愛。中勘助も美丈夫だったんですか。

谷川　あれがまたいい男だよ、中勘助は。

鶴見　大変な、能の中の主人公みたいなんですよ。

正津　その勘助さんに負けなかったですか、徹三さんは。

谷川　でも、中勘助のほうが俺はやっぱりいいと思うけどね。いや、実物見てないんだけどね。写真で見る限り中勘助のほうがいいんじゃないかなと。それはもう造形の問題じゃなくて、なんとなく人柄というかさ。

けるも断っていたことが知られている。

正津　人柄高潔そうですよね、向こうのほうが。

谷川　幼児愛の人だから高潔ではないんだけど、なんかちょっと陰があるみたいなところがいいみたいなさ。うちの父の陰は浅いんですよ。単なる道楽の域を出てない。

鶴見　だけど谷川俊太郎さんは男の子だからそうなんだけども、小堀杏奴《あんぬ》なんてすごいよ。志賀直哉が森鷗外認めないでしょ。そこのところに自分の弟の類《るい》が行っていろいろ世話してもらった時も怒ってるんだよ。つまり、鷗外のことをほめるだけの人はいい。少しでもけなすと悪い。それでもう九十いくつまで貫いているのよ、小堀杏奴は。だから森茉莉と小堀杏奴とはその手。[*7]太宰治にだって点は甘い。太宰は鷗外をほめているから。で、類だけはちょっと逸脱しているの。類には客観性があるんだよ。文章もうまいんだよ。だが姉二人はもうまったく鷗外をほめたかほめないか、それで人間を区別しているんだ。

正津　そんなに鷗外って偉大だったのかな。

谷川　娘って父親にけっこうほれるわけだ。

鶴見　男の子で、おやじ一本という、そういう人いるかね。

谷川　僕はだから反面教師と言っているんです。おやじにほれ込んだ息子ってあ

＊7　森茉莉（もり・まり　一九〇三～一九八七）は森鷗外の長女。作家となり随筆『父の帽子』（一九五七）で知られる。次女の杏奴（あんぬ　一九〇九～九八）も作家。画家の小堀四郎と結婚。著書に鷗外との思い出をまとめた『晩年の父』（一九三六）など。三男の類（るい　一九一一～九一）は随筆家。志賀直哉や佐藤春夫に師事。著書に『鷗外の子供たち』（一九五六）など。

んまりいないような気がするな。

鶴見　強いて言えば広津和郎だ。[*8] わりあい温かい。おやじは独り者になって道楽しているわけ。遊女通いにおやじが人力車に乗って出ていくのを、さびしいからと見ている。やっぱりそれは温かいよ。広津が編集者と一緒に汽車に乗っている時に突然涙をこぼし始めて、結局、自分は一生懸命努力したけども、おやじに及ばないと涙をこぼした。だから広津柳浪のほうが自分より偉いと。そのぐらいじゃないかな。柳宗理に私は宗悦の伝記を書くんで許可を求めに行ったんだよ。宗理が言うのに、おやじってそんなに偉いんですか、と（笑）。読んでないんだよ。それで三人の息子のそれぞれがみんな言っているんだ。おやじは仏教の哲学者だった。だけど、それを実践したのは柳兼子だと。全部三票が三票とも柳兼子にいくんだよ。

谷川　へえ。

鶴見　びっくりした。それは宗理と柳宗玄と、それから最後は園芸やっている宗民、三人ともそうなんだよ。[*9] びっくりしたね。だけど、それは柳宗悦はある意味で偉いよ。おやじの柳楢悦《ならよし》のことを見事に書いた。

正津　でも、祐輔さんて偉かった。いまでいうとだれみたいな感じですかね。

＊8　広津和郎（ひろつ・かずお　一八九一～一九六八）小説家、文芸評論家。広津柳浪（ひろつ・りゅうろう　一八六一～一九二八）の次男として生まれる。

＊9　柳宗悦（やなぎ・むねよし　一八八九～一九六一）美術評論家。民衆の作る生活雑器のなかに美を見出し「民芸」という言葉を創出、「民芸運動」を提唱した。妻の兼子（かねこ　一八九二～一九八四）は声楽家。幼少期から長唄を学び、東京音楽学校に進学。日本を代表するアルトとして活躍しながら、国立音楽大学教授を務めた。二人の長男・宗理（そうり

鶴見　いや、才能はあるんだよ。いつでも一番なんだよ、確かに。努力家だったんだ。

正津　石原慎太郎よりもっと大きい！（笑）いまでいえば。

鶴見　大正時代の「ウィルソン倶楽部」*10から、結局、二・二六までだね。遺言もそこで終わってるんだ。それまではなんか殺される覚悟があったんだけど、あそこで終わっちゃったんだ。だから結局、戦争の旗振ったし。だけど今度は私がずっと家《うち》出ていたんだよ。で、おやじが倒れて失語症になっちゃって、私の姉が博士論文もう一度書くってアメリカに行ったので私が家に入った。その時におやじと顔合わせたときに、おやじが実にうれしそうな顔するんだよ。で、その時、悟ったね、おやじとのけんかは俺の負けだと。深く愛する者が勝つ。それから、おやじは一度も自分は自民党に入ったことないような顔してるんだよ。だからデモから帰ると、ああ、よかった、よかった、と（笑）。それで遺言見たらね、二・二六の時に書いたのが最後だったんだ、昭和十一（一九三六）年。その時は死ぬ気でがんばるつもりだったんだ。その後、ないんだよ。

　その二・二六の時の遺言見ると、葬式は禅宗でやってくれ、と書いてある。禅宗なんてうちの宗教じゃないからね、私は川越の平林寺まで行って坊さんに頼ん

一九一五～二〇一一）は工業デザイナー。東京美術学校を一九四〇年に卒業。食器から、湯沸器、札幌オリンピックの聖火台まで、機能性と美を調和させた幅広いデザインを手がけた。次男・宗玄（むねもと　一九一七～二〇一九）は美術史家。オリエントや西洋の中世美術史が専門。お茶の水女子大学教授、武蔵野美術大学教授を経て、同大学名誉教授。園芸研究家の宗民（むねたみ　一九二七～二〇〇六）は三男。東京農業大学研究所等を経て独立。柳育種花園を運営する傍ら、執筆活動やテレビ・ラジオ出演を行った。

だんだ。おやじが失語症で、要するにこちらが話すと。葬式のことがある、問題にしてくれと言うんだ。それで金庫を開けてみて、禅宗でやってくれと言うから私が川越の平林寺まで行って頼んできた。それ取り消せって言うんだよね。困っちゃって、じゃ、どうするんですか。キリスト教ですかと言ったら、そうだと言うんだよね。で、お母さんと同じ、つまり彼の妻君がバプティストで教会に通っていて、そこで葬式をやった。違うと言うんだ。で、キリスト教の宗派を一々言うと全部違うと言う。で、困っちゃってね。ためしにクエーカーですかと聞いたんだよ。そうだと言うんだよ。だから本家帰りしたんだね。

　クエーカーの東京チャプターというのは上代《じょうだい》タノ[*11]さんが中心にいたんで、上代さんに問い合わせたんだ。おやじがこういうふうにしたいと言っていますけども、どうでしょうかと言ったら、喜んで受け入れてくれた。しかしクエーカーという意思を確認しなければ引き受けない。意思確認するのに若い人を送ってきた。それが私と一緒に脱走兵援助をやっている仲間なんだよ。つまり、同志なんだよ。結局、向こうで受け入れてくれて、おやじの葬式はクエーカーだった。だから頭はっきりしてたことは確かなんだ。自分の意思表示だからね。だけど、とにかくおやじには負けた。

＊10　ウィルソン倶楽部は鶴見佑輔が主催したサロン。佑輔は、一九一六年十二月から麻布の自宅に帝大や一高の学生を招き、月に一回、河合栄治郎をはじめ官・財界の様々な人物を講師とする「火曜会」（別名「ウィルソン倶楽部」）を開催、のちの新自由主義協会設立に発展した。

＊11　上代タノ（じょうだい・たの　一八八六〜一九八二）教育者。キリスト者として婦人平和運動を行う。第六代日本女子大学学長。

もうろく語の時代

——いまは衰亡の季節と言われましたけども、たとえばジョン万次郎とか、ああいう人たちの生き方がますます輝いているという感じですか。

鶴見　一八五三年から一九〇五年までは非常にたくさんの人の上昇期だった。だから、あそこに出てくる高杉晋作とか坂本龍馬ってすごい人だよ、そりゃ。つまり彼らの政治思想の内部を支える歌学というか、歌心があるんだよ。やっぱりそれは海援隊仲間の陸奥宗光とかあのへんまで受け継がれているのよ。それが終わったのが一九〇五年じゃない。あれでヨーロッパ並びの大国になったというその安心感があって、あとは国民と指導者とのキャッチボールで、もう馴れ合いだと思うね。あれはもうブッシュと小泉〔純一郎。当時の首相〕のキャッチボールみたいなもので、これはもうだめなんだよ。だから、いまどうしたらいいかなんて言うでしょ。そんな代になったらあと三ヵ月しか考えてないよ。だめだね。
いまの一九〇五年まで考えると、牢屋に入った時の陸奥宗光は一体何を考えていたのか。いや、私のじいさんに[*1]したって牢屋に入っているんだ。さっきも言ったように、そこで漢詩つくっているんだよ。その漢詩は夢の中で荘子の胡蝶が出てきたというんだよ。で、こうやって気軽にパタパタとやっている。あれは、この胡蝶は次に何をやるかのスケジュールなんていうのは考える必要ないんだ。そういう詩なんだよ。彼はその時、内務省衛生局長だったから、それからしばらくして彼は鉄道院総裁になるなんて思っていなかったんだけども、後で鉄道大臣になると思ったら皮肉だよね、これ。そういうので牢屋に入って、することないから漢詩書いてるんだよ。

正津　だから、漱石で切れて。漱石の漢文はいま中国の人たちが読んでも、もうひれ伏すぐらいに立派な。

鶴見　吉川幸次郎が全部読んで、和臭はある、だけど立派だ、と。自然にできちゃう人なんだな。永井禾原、夏目漱石、森鷗外、幸田露伴、このへんはだいたい並ぶんじゃない、教養が。

——そういう教養が断絶した、と。

＊1　後藤新平（ごとう・しんぺい　一八五七〜一九二九）政治家・官僚。台湾総督府民政局長、初代満鉄総裁、外相、東京市長を歴任。関東大震災後に内務大臣兼帝都復興院総裁となり東京の都市計画を主導。鶴見の母・愛子は後藤の娘。一八九三年、相馬事件に連座して投獄された。

鶴見　詩の後ろにポエティックスがなくなったということでしょ。つまり、歌学。ヨーロッパの詩をいくらか読んだことがある。中学校のリーダー〔読本〕だったらクリスティーナ・ロセッティとか、ああいうのあるんだけども、それもやっぱり教養として入っちゃうんで。深くは入ってないね。今の大臣はそうだ。

正津　和漢洋を一身にしているというのはそのへんで終わったんでしょうね。

鶴見　そうね。鷗外は漢文と洋でしょ。洋のほうはすごいよ。『諸国物語』*2ってすごいものだね。あの若い二十代そこそこのリルケの小説入れているでしょ。あの眼力。それは宮本（中條）百合子が女学校出たての永瀬清子を評価するのと同じぐらい。*3それも、しかもリルケのいい作品なんだ、『家常茶飯』なんていうのは。要するにオーストリア・ハンガリー帝国、そこに憲兵が入って、ただ招かれてるお客を連れていっちゃう。その時にそのお客は、自分はそこの主人じゃないのにそれを言わないで引かれていったと、それだけなんだよ。だけど、これ、パラケルススと同じなんだけど、道徳というのは実はそのことしかないんだ。パラケルススはそれを身につけたんだ。だから、あれ、リルケとしては非常にいいものなんだ。あれを鷗外がよく。

正津　すごいね。

*2　『諸国物語』。森鷗外が一九一五年に刊行した翻訳小説のアンソロジー。リルケ、ポー、ドストエフスキーなど、三十四の短編が収録されている。

*3　永瀬清子（ながせ・きよこ　一九〇六〜一九九五）詩人。愛知県立第一高等女学校を卒業後、佐藤惣之助（さとう・そうのすけ　一八九〇〜一九四二）に師事。戦後は故郷の岡山に帰り、詩誌『黄薔薇』を主催。宮沢賢治「雨ニモマケズ」の「発見者」としても知られる。詩集に『グレンデルの母親』（一九三〇）など。宮本百合子（みやもと・ゆりこ　一

鶴見　鷗外の『諸国物語』というのはほんとすごいものだね。鷗外のした仕事で史伝と、この『諸国物語』、この二つがピークでしょ。

正津　岡倉天心とか新渡戸稲造の英語力というのはどこでついたんでしょうか。

鶴見　岡倉天心は横浜で育ったんだ。ですからイギリス人やアメリカ人の話をずうっと聞いていたと思う。だから彼、東大に入ると卒業論文、英語で書けるし、初め政治学について書いたのを細君が破っちゃったんだよ。それで芸術論で書き直したんだ。だから政治家になりたいという気持ちを持ってたんだね。

谷川　なんで破いちゃったんですか。

正津　女関係ですよ。女関係多いもの、調べたら。

鶴見　だから弟の岡倉由三郎、これも英語非常にできる。横浜育ちという。新渡戸稲造は北海道だ。クラークが青年教師を連れてきて、クラークは一年で帰ったけど、あと残ったから。幣原喜重郎が英語できたのと同じ。教科書も英語で、直接それを英語で教わるから、十五、六だったら英語入っちゃうんですよ。むしろ日本語が書けなくなる。だから内村鑑三なんて初期は日本語書けなかったんじゃないかと太田雄三[*4]は推測している。非常にゴツゴツしている。

正津　谷川さんはどうして英語勉強したの。「スヌーピー」で？

八九九～一九五一）小説家。十七歳のときに発表した「貧しき人々の群」で文壇に登場。日本共産党に入党し、宮本顕治（みやもと・けんじ　一九〇八～二〇〇七）と結婚。弾圧に抵抗し執筆を続けた。戦後は民主主義文化運動の中心人物として活躍した。

「永瀬さんが今日の日本の女性の詩人として示している独特な美と力とは、……、女が考える、という合理的な事実を承認して、それをまざまざとした感性で表現してゆく天稟をもっているところに在ると思う」（宮本百合子『静かなる愛』と『諸国の天女』）。

谷川　うん、そう。それで、うちの娘はやっぱり十五歳で行ったんだけど、一年はかかってますね。と、自分では言ってますね。

鶴見　自宅にいたからじゃない。

谷川　いえ、アメリカ人と日本人の夫婦のうちにホームステイしていたんです。その後はもうずっと寄宿舎みたいなところに行ってたから、英語を話す環境にいたことは確かなんです。

鶴見　私は寄宿制の寮にいたから全部英語で。三ヵ月で。

谷川　でも、早いな。いまの子は、つまり要するにAV的なものの技術が発達しているから、むしろ聞く、話すのほうが先で、書くのが多分弱いんじゃないかと思うんですね。

正津　それだけのリテラシーみたいなのがないんですね。

谷川　ないんじゃないかと思う。それは日本語力にも関係あるから、英語書くということは。しゃべるんだったらあまり関係なくしゃべれちゃう、特にすごくコロキアル（話し言葉的）なものだったらさ。そんな感じがするんだけどね。

——さっき鶴見さんは聞くというのが一番難しいとおっしゃいましたが……。

谷川　聞くというのはそれはすごく難しいですよ。一番の問題点ですね、外国に

＊4　太田雄三（おおた・ゆうぞう　一九四三〜）比較文学者。一九七四年にカナダに渡り、マッギル大学で日本史を教える。現在、同大教授。著書に『内村鑑三——その世界主義と日本主義をめぐって』ほか。

行った時の。聞いて理解できればなんとか片言でもしゃべれるんだけど、向こうの言うことがわからないというのは一番致命的ですよね。音楽家なんかがやっぱり聞くのがうまかったりするのね。やっぱり耳、いまCDとかテープで繰り返し聞かせるというのがはやっているでしょ。あれがうまくいくのかどうかよく知らないけれども、教材がよければ聞くほうはけっこううまくいくかもしれないし、テレビなんかだって二重音声の放送、英語で聞いていれば。

――谷川さんがおっしゃったように、一方で、最近は意外と書けないという傾向もあるようですね。

谷川　と思う。つまり、あるおもしろい文章は書けるけど、公的に通用するきちんとした、たとえばお悔やみ文とかは書けないんじゃないかなと思うね。自分でも、われわれ世代でもちょっとそういうところあるからね。きちんとしたそういうのは書きにくいですよね。

鶴見　日本語がうまいとね、あまり外国語うまくならないですよ。

谷川　ならない。

鶴見　リースマン＊5が京都に来た時、リースマンを呼んで京都の学者の会があった。私がちょうどうつ病の段階だったんで、呼ばれたけど行かなかったんだよ。桑原

＊5　デイヴィッド・リースマン（David Riesman　一九〇九〜二〇〇二）米

（武夫）さんから聞いたところによると、みんななんとか英語しゃべったんだけど、梅棹（忠夫）[*6]だけは日本語でしゃべった。リースマンは不思議に思って、この人はなぜ英語をしゃべらないのかと。大学出ているわけでしょ。大学教授で。そしたら梅棹は答えて、私の繊細な日本語は私のへたな英語によって表現することはできないと。これ、なかなかおもしろいんだよ（笑）。傲慢であると同時に謙遜なんだ。それ、いかにも梅棹らしいんだ。だから、リースマンもびっくりしたらしいね。

谷川　だいたい、詩人というのは外国語不得手な人が多いですね。

――言葉というのは、いろんなことを決定していきますね。

鶴見　もうろく語で通じる時代がくるでしょう。

正津　酔っ払いがよく言うんだけど、まず盆栽やり始めて、最後は石にいって終わりだと。石を見てよくなったら石と話ができると。

谷川　うちの母は、でも、ボケた時にやっぱり美男の父に対する恨みつらみが出てきてね、かわいそうでした。玄関に若い女の人がいるって言うんですよ、僕に。それからもう一つはやっぱり自分はピアノ教師になるべきだったなんて言い出しましたね、もう八十になってからボケて。ピアノうまかったんですけど、父に

国の社会学者。元ハーヴァード大学教授。大衆社会における人間の類型を研究。一九六一年に来日し二ヵ月間滞在。その時のことを記した『日本日記』（一九六七）がある。

＊6　梅棹忠夫（うめさお・ただお　一九二〇〜二〇一〇）民族学者・文化人類学者。『文明の生態史観』（一九五七）を発表し、生態学に基づいた独自の文明発展の理論が話題を呼んだ。

会って父に全部献身的に、要するに尽くしちゃったでしょ。それがボケたら、ちょっとくやしかったらしいんですね。

鶴見　献身的に尽くしたことを否定したいと思うのは、悲劇だね。

谷川　僕はボケたら行くとこ、もう決まっているんです。九州のほうにとってもいい小さな老人ホームがあって、そこに時々行くんですけどね。

正津　練習しているんだ。

谷川　練習してます。ボケおばあさんたちと一緒にご飯食べたりして。

鶴見　ああ、いいですね。

谷川　予約ずみなんです。まあ、鶴見さんボケられることはないと思うんだけど、もしおボケになったらご招待してさしあげます(笑)。

――鶴見さんはこれからどんなプランがありますか。書きたいものとか、これをしたいとか。

正津　「もうろくの冬」だよ。

鶴見　私は自分がボケてきたと思ったのは七十の時からなんですが、それから「もうろく帖⑫」というのをつくっていて、それになんかかんか書くんですよ。で、もうろくしたという印に、だれが言った言葉か、これ自分が言った言葉かわからなくなるんですよ。どっちかの区別をしないで、とにかく書いておく。それがもう、もっと早く死ぬ予定だったのが三冊目になっている。それをひっくり返して解説してくれと言う人がいて、まだやってないんだけども、今年の後半になったら三冊それひっくり返して。自著自注だ。

谷川　おもしろそうですね。

鶴見　もうろくしてるの、こういう意味だったとかこうやって。それはE・M・フォスター[*7]に似たようなものがあるんですよ。それは『コモンプレイス・ブック』、これは英語にそういうのあるんですが、抜き書き帳なんですね。だいたい、ジョージ・エリオット[*8]なんて、こんな大きな吸い取り紙、それにいろんな好きな言葉をずっと書いたんですよ。で、小説書く時にそれ持って。十八世紀ぐらいから英語である習慣なんですね。

谷川　なるほど。

鶴見　帳面なんだ。大英博物館に行くとジョージ・エリオットのブロッター（吸い取り紙）がありますよ。私が一年生で大学に入った時にこんな大きな緑色のブロッターくれるんだ。それを持って歩いているから、あ、あいつ新入生だとわかるんだね。

＊7　E・M・フォースター（Edward Morgan Forster　一八七九〜一九七〇）イギリスの小説家。ケンブリッジ大学で学び「ブルームズベリー・グループ」にも加わった。著書に『眺めのいい部屋』（一九〇八）など。

＊8　ジョージ・エリオット（George Eliot　一八一九〜八〇）イギリスの小説家。十九世紀英国リアリズムの代表格。

正津　そういう習慣があるわけですか。
鶴見　当時はあったんだ。
谷川　デスクの上に敷いておくんですか。
鶴見　敷いて。で、なんか書けなくなった時にそれを見るんだ。
谷川　じゃ、ほんとに吸い取り紙としての機能もあるんですか。
鶴見　ある。
正津　おもしろいですね。
鶴見　で、私のは、その自注を、なぜこれ取ったんだろうか、どうしてこれおもしろかったんだろうかという記録をつくってくれるというんだけどね。今年の後半ぐらいだな。
谷川　またポッと詩が生まれたら、今度は「midnight press」に出して（笑）。
——ぜひお願いしたいと思います。
さっきお宅にお伺いした時、テーブルの上に「midnight press」もあったけど、呉茂一さんの『ギリシア抒情詩選』が置いてあって、ハッと思って。
鶴見　いや、あれね、ジャワの軍の酒保で売ってたのよ。だから軍の酒保で買って帰って読んで、ちょっと感銘あるんだよ。

谷川　へええ。

鶴見　二千六百年前の作品でしょ。

——人間、ギリシャ、ローマから変わらないとかよくいいますけども、変わらないのか、変わっているのか。

正津　歌学が衰えたんじゃないですか、先生がおっしゃるように。

鶴見　やっぱり掘り抜く力というのは、たとえば王羲之《おうぎし》の書と現代書家の書の違いみたいなものじゃないの。ホメーロスの詩の力と、同じテーマでパロディつくったジェームス・ジョイスの『ユリシーズ』[*9]の違いをどう見るかでしょうね。

正津　谷川さんはそういうこと感じますか、現在書いていて歴史とのかかわりで。

谷川　どういうこと？

正津　ホメーロスまでいかなくてもいいけど、人麻呂の時代までいかなくてもいいけど、芭蕉には負けるなとか。

谷川　それはありますよね。なんか気になってますよね。だって詩っていうのはそんなに社会的な状況によって違ってくるものじゃないじゃないですか。個人が何を詩と思うかというのはもう個人の勝手だから、揺れがあってそれぞれ意見はあるだろうけども、詩は多分、言語が発生した時からあるわけだから、それの核

＊9　『ユリシーズ』（一九二二）は、一九〇四年六月十六日から翌日にかけての丸一日を、ホメーロスの『オデュッセイア』（ユリシーズはオデュッセウスの英語読み）の枠組みを使って書いたもの。

にあるというか、一番もとのところは変わってないと思うんですね。でも、いろんな民族によって、いろんな言語によって見た目は全然違うようになっているし、なんでこれが詩なんだと思うものもあるし、それから日本人の詩の感覚と、たとえばやっぱり中国人の詩の感覚とは違うというのはもちろんあるんだけど、なんかその根本に一つ大文字の詩というものがあるんじゃないかと思うから、つまり、どういう詩を読んでも自分とかかわりがあると。現代詩がすごく繊細巧緻な世界を構築していても、ネイティブ・アメリカンの単純な、金関（寿夫）[*10]さんが訳したような詩にやっぱり感動しちゃうのは、なんか基本的にあるんですね。

＊8 金関寿夫（かなせき・ひさお 一九一八〜九六）アメリカ文学者。東京都立大学教授、駒沢大学教授を歴任。アメリカ現代詩を専門とし、ヒッピーやネイティブ・アメリカン文化の紹介に励んだ。

志賀直哉のことなど

鶴見　私はいっぺん志賀直哉に話を聞いて、それでテープレコーダーもなにもないから自分で書いて、直してもらったんだ。志賀直哉は話をするとなるとまったくなんでもしゃべるわけね。彼は心霊的なものを持っているんだ。これは書いたんだけど、『剃刀』という初期の短編を書いた時に、隣のうちの息子がカミソリで自分ののどを切って同じ時刻に死んだ。それが『剃刀』のカミソリを使うところを書いていた時刻だったという。また、別の時にモラエス*1の夢を見たんだって。そしたら朝になったら戸をたたく人がいて、柳宗悦に紹介状をもらっていて、この人は花野富蔵*2君といってモラエスの研究をしている人だと。ポルトガル語ができるんでモラエスの翻訳書出した人なんだ。そういうことでびっくりしたと。それから、なんか東京の郊外のほうにいて、このへんで間宮茂輔*3が住んでいるなと

＊1　ヴェンセスラウ・デ・モラエス（モライス、Wenceslau de Morais　一八五四〜一九二九）ポルトガルの軍人・文筆家。一八八九年に初来日したことをきっかけに、一八九八年日本に移住。小泉八雲と並ぶ日本文化の紹介者として知られる。

＊2　花野富蔵（はなの・とみぞう　一九〇〇〜七九）スペイン・ポルトガル文学者。モラエスの全著作を翻訳した『定本モラエス全集』（全五巻、集英社、一九六九）で日本翻訳文学賞受賞。

＊3　間宮茂輔（まみ

思ってフッと見たら間宮茂輔が。そういう話をずうっとしているんだね。それ書いて持っていったら、そこのとこ全部消しちゃったんだよ。つまり、それ昭和二十四（一九四九）年ぐらいのことなんだけども、自分は神秘体験を持っている。だけども、それを人に知られたくないという、合理主義者として通したい。つまり、戦争中の神がかりみたいなのが非常にいやだったんだ。隠していたんだ。だから、死ぬ前になるとそれが少し現われて。『志賀直哉全集』終わりまで見れば、それ、ところどころ出てるんで、彼はそういう神秘的能力を持っていた人なんだよ。動物的な人で、運動ものすごくうまいでしょ。だから学習院の時も。

正津　自転車の曲乗りなんかうまくってね。

鶴見　急に棒高跳び跳び出したら、どんどんどん上に足していっても跳んじゃうんで大変なことになった話が出ているよね。だから、勘で動く人なんだ。

正津　すごく感応力のある人だったと思いますね。だから、戦後すぐ変なこと言うじゃないですか。日本語やめてフランス語にしようって、[*4]わけのわからないこと。

鶴見　あの時ね、私は京大に来てたんだよ。だけど日本語を書くのに非常に苦労してた。頭の中で考える時、ことに論文というのは、日本で大学に行ったことな

や・もすけ　一八九九〜一九七五）小説家。炭鉱の労働争議を描いた『あらがね』（一九三七〜三八）で第六回芥川賞候補となる。

＊4　志賀は『改造』一九四六年四月の「国語問題」で、日本の国語は不完全だから「世界中で一番いい言語、一番美しい言語」のフランス語にするのがいいと書いた。

いんだから困ってた。いろいろそういうことを桑原（武夫）さんに話したら、桑原さん、志賀とつきあいがあって、その相談をしてくれたんだ。持って帰ってきた答えが、そういう人は日本語の名文を習ってはいけない。というのは、あの時代の名文の見本というのは志賀直哉だから、それ書き写したりそういうことをしてはいけない。日本語と英語の間の溝に落ちてもがくことがいいんだ、もがいているうちにその人は自分の文章を、文体を見つけるだろうと。志賀さんらしいおもしろい答えだと思うね。だから、ある意味で日本語の型に絶望していたんだよ。その型が最後は大東亜戦争になっちゃうんだ。志賀と学習院で同級の岡部（長景）[*5]という人が文部大臣になるでしょ。寡黙な人だからちゃんといいことやるのかと思ったら、第一声がメートル法やめろって言ったんだよ。それでものすごくいやになっちゃって、随筆に書いているよね。人間のさまざまな言語の間に、溝に落っこってもがくのがいい。だいたいそれが道しるべとなって、もうろく語も私の言語に。

正津　そうですか。志賀さんの話、いいですね。

鶴見　だから志賀さん、その時考えていたんだ。戦争中のあの当時の詩やなんか。

正津　だから言語があそこに収斂していかざるを得なかったという。

＊5　岡部長景（おかべ・ながかげ　一八八四〜一九七〇）官僚・政治家。東條英機内閣の文相。戦後は国立近代美術館初代館長など。貴族院議員時代の一九三三年、メートル法強制に反対する意見を議会に提出した。

鶴見　大東亜戦争完遂と言っているでしょ。あれが一番病なんだよ。当時は明らかに一番病の人なんだよ。谷川徹三氏は非常に志賀さんを尊敬して。

谷川　もうほれ込んでいましたね。

鶴見　で、あの人は志賀さんがある種の神秘的能力を持っているということを知っていた。

谷川　そうですか。

鶴見　しゃべる時は言うんだよ。ただ、原稿にしないんだ。活字にしたことがなかった、晩年まで。

正津　もったいない。

――そういう方が意外と多いんでしょうか。

谷川　案外、俺、いるんだと思うけど、みんなまだ隠しているということは絶対あるね。UFO見るというのはけっこうみんな私的な会話じゃ言うじゃない。だけど公的にはあんまり言ってないよね。和田誠とかみんな見ているんだけど、それでこの鼎談一九号で[*6]覚（和歌子）さんが言ったら途端にこの人（正津氏）引いたでしょ。ああいう反応なんだよ、いまだに。覚さん、なんかがっくりきたみたいだけどさ。

＊6　鼎談「物語の彼方へ」（midnight press 二〇〇三年春一九号）。覚和歌子（かく・わかこ　一九六一〜）は作詞家・詩人。アニメ『千と千尋の神隠し』の主題歌「いつも何度でも」の作詞で日本レコード大賞金賞。

正津　僕は鶴見さんから勉強習ったからそういうのダメだと思ったわけ。

谷川　昨日、河合（隼雄）さんに会ったと言ったでしょ。昨日の朝、新潟から電話がかかってきて、河合さんと五月にちょっと「スヌーピー」漫画について二人で話すということがあって、その打ち合わせで電話がかかってきたの。その直後にファックスが入って、その新潟の対談[*7]について講談社の人との打ち合わせの日時の確認のファックスだったのね。そしたらホテルで河合さんに会っちゃったわけよ。これ、やっぱり神秘的なところがあるんじゃないの（笑）。こんなに偶然ないでしょ、三つも重なっちゃうって。

正津　危ない。大丈夫かな。

谷川　俺はもうその方向で生きていくからね。正津さん、死相が出てるよ、とかって、いまに言うよ（笑）。

――鶴見さんはそういう世界については……。

鶴見　つまり、子供の時からうつ病持ちだったりするから、そういういろんな変なことあるんですよ。この世界が突然見知らぬ世界になる感じがあるんですよ。どこに来ちゃったんだろう、わけがわからないし、手がかりがなくなっちゃうんですね。それが子供の時からありますね。だから気が狂うという恐怖なんですよ。

＊7　この対談は後に書籍化された。河合隼雄・谷川俊太郎『落ちこぼれ、バンザイ！――スヌーピーたちに学ぶ知恵』（講談社＋α文庫、二〇〇九）。

閉じ込められるんじゃないかという恐怖はいつでもありますね。だから〔アメリカへ留学してからは〕英語になって、いまの、百人ほどの寄宿学校なんですが、プレップ・スクールというようなやつですね。そこにいて私は英語全然わからない。だいたいテストやると白紙出していたんですよ。

で、三ヵ月ぐらい経って、個室を与えられているんだ。個室に寝ていたら突然に自分の体がギューッと縮まってきて、このぐらいになってもう終わってなくなってしまうところまでものすごい圧力で押し込められているという感じで、これは大変だと思って起き上がったんだ。で、電気つけて、自分の体見えるんですよ、二重にそれがある。このままいくと、これ本当に気が狂う。みんな個室与えられているんだからだれもいないわけですね。ほかのところへ行って戸をたたいたら自分は気が狂ったと思われるだろう。しかも英語できないんだから。で、便所があるから便所の中に水がある。そこに頭をガーンと突っ込めば正気に戻るかもしれない。とにかくグルグルグルグルグル回っているうちに、ポンと音がしたような気がするんだけども、目の後ろから黄金の砂がサラサラサラサラ落ちるんだよ。ついに落ち終わったんだ。フッと見たら自分が等身大の人間であって、等身大の人間の意識も戻っていたわけ。で、安心してまた寝ちゃったんだ。

次の日に教室にいったらなんかフワフワしている感じでストーンと倒れちゃった。高熱を発して、〔華氏〕百何度という高熱を出してインファーマリー、つまり病棟に入れられちゃったんだ。それ、インフルエンザなんだね。病院に行った時、びっくりしたのは、たくさんコップに水とオレンジジュース持ってくるんだ。どっちでも繰り返し飲むんだ。二、三時間ごとに持ってくるんだ。で、熱を下げるわけ。一週間ちょっと入院してた。とにかくそれで出てもういっぺん教室に戻って、そしたらフッとやったら英語が全部わかるんだよ。これはびっくりした。もう全く違う。

正津　それはすごい、ストレス、言葉の障害が見せるんですね。

鶴見　だからアリスなんだ。アリスはそういう体験持っていたと思う、ルイス・キャロル自身が。それでもう、翌年、大学の入学試験受けることになっていたんだけど、私は初め、もうだめだから小学校からやり直そうと思ってたんだ。そしたら三ヵ月の後、四ヵ月ぐらいか、六月の初めに試験があったんだ。けっこう通った。だから不思議だね。転換があった。それはものすごいストレスがそういう。

正津　言葉が変わるということは心が変わることだからきつかったと思うんだよ

ね。

鶴見 英語になっちゃったんだ。

正津 だから心が英語になったんですよ、日本語から全部。

――谷川さんも英語で書いたことありますか、詩を。

谷川 ないですよ。

正津 娘（志野）さんはあるけどね。

谷川 彼女はもう英語のほうが楽なんだから、日本語が怪しくなっている。詩は書かないけども。

鶴見 私の姉（和子）になると、アメリカに行った時にもうすでに二十二ぐらいでしょ。で、女学校も一番病でやって、津田英学塾も一番病で出ているんだから、英語入っているわけだ。だから初めから英語ではそういう難しい問題ないんだ。

谷川 すごいよね。

鶴見 英語は英語、日本語は日本語で入って、どう翻訳するかの手立てまで頭の中にあるわけだ。私は翻訳ができない。英語は英語で覚えて、日本語は日本語で覚えているから。私の細君は日本で教育を受けたから翻訳をやる。私にはできないんだ。絶対できないということはないけど、まずいね。だから谷川さんは「スヌーピー」の翻訳やっているでしょ。ああいうことできないんだ。

谷川　想像はできますね。もう全然、英語の身につき方が違うから、できないという感じすごくよくわかるような気がする。俺たちは中途半端だからできるんだよね。日本語はまあ入っているんだけど、英語のほうはもうなんか観念的に知っているだけだから、逆にいいかげんなところで妥協できちゃうみたいなところあるよね。

鶴見　どうして戦中に新聞つくれたかというと、それは要約だからなんだ。翻訳じゃない。つまり、前の晩にやったの全部頭に記憶しているでしょ。そのエッセンスは何かというのを自分で文章に書くわけだ。だから出典と照合して、ロイターのもとの文章はこうだったなんてそんなことないわけよ。ロイターによればこうだという。

谷川　奥様が訳された『ディネーセン・コレクション』[*7]は全部英語からですか。

鶴見　そうです。

谷川　英語で書いてあるんでしたっけ。

鶴見　そう。ゴシック物語って英語で書いたんだ。デンマーク語で書いたのはレジスタンスの小説だけ。デンマーク語もあるんですが、英語のほうが原典ですね。

＊7　デンマークを代表するゴシック小説家カレン・ブリクセンのアイザック・ディネーセン名義の著作集（全四巻、横山貞子訳　一九八一〜八二　晶文社）

『アフリカの日々』というのはイギリス人との恋愛の話だから、もちろん英語でいつでもしゃべってる。
谷川 ぼくは『バベットの晩餐会』という短編がもとになった映画（一九八七年公開）がすごく好きで。
鶴見 映画よかった。
正津 映画がよかった。
谷川 すばらしい映画でしたよね。
鶴見 すばらしい映画だった。あの気っ風がいいね。谷川さんみたいに冷静に全部投げ捨てて、宝くじで当たった十万ドル（原作では一万フラン）かなんか全部使って料理をつくると。その気っ風が。
谷川 俺、宝くじ当たったら投げ出せるかな（笑）。二億円当たったらどうなるか自信がない。
正津 貯金したりして。ちょっと分けてよね。
谷川 だいたい、そういうのが出てくるからさ。気が弱いからみんなにまくんじゃないかと。
正津 そう。言語というのはすごいものだね。僕もアメリカに行っている時、やっぱり言葉の問題で悩んで、僕はもっと品のないほうの悩みですけど。

谷川　だいたい、ボディ・ランゲージで。

正津　ボディ・ランゲージで。大学生たちと一緒に悪さしてマリファナなんかやると、一番最初にやっぱり言葉の問題で、先ほど先生のを聞いてても笑えてきたんですけど、全然しゃべれないわけですよ、好きな女の子と。ところが葉っぱをやると延々しゃべってるんですよね。それだけストレスがたまっているんだよね。
あれ、おもしろいね。

谷川　何しゃべっているんですか。

正津　いや、もう枕言葉《ピロートーク》。

谷川　もうろく語をしゃべっているわけですか。英語のもうろく語ね。

「今日は三十九年ぶりだね」

鶴見　私のおやじが東京帝国大学出て鉄道省に入って、新渡戸稲造先生のカバン持ちに指名されてアメリカに初めて行くんだよ。と、そのへんまでは全部、新渡戸先生が交渉してくれるからそれで通ってしまう。ホテルに行くと同じ部屋というわけにいかないんだ。個室に行ってボーイが荷物を置いてバターンと戸を閉めた時に、ものすごい孤独を感じたと。新渡戸先生に電話をかけたいんだけど、電話のかけ方がわからないんだよ。一高英文科でも東大法学部でも教えてくれなかったんだ、電話のかけ方。それで「もしもし」と言うわけにいかないでしょ。「イフイフ」なんていうのは（笑）。大変な孤独感を。いまの若い人は決して感じないことなんだよ。で、偉大な先生に習っているのよ。一高の英語の先生は夏目漱石先生（笑）。だけど夏目漱石先生がスティーヴンスンの『アイランド・ナイツ・エンターテインメント（*Island Night's Entertainment*）』[*1]を教えてくれて、あとジェーン・オースティンを教えてくれたって、ジェーン・オースティンの時、電話ないじゃない。漱石先生に英語習ったってだめなんだよ。

正津　漱石はずいぶん苦しんだらしい。その前がラフカディオ・ハーンでしょ。だから初めて東大で日本人の英語の先生で行ったから、すごいストレスもあったみたいで、それで向こうで全然英語通じなかったからね、彼の。だから家から出られなかったという。

鶴見　いまは英語はペラペラしゃべるんだ。残念ながらESSとかああいうところで習った英語だからアメリカ人としゃべると、程度の悪いアメリカ人と同じことしゃべっちゃうわけだ。全然、内容ないわけだから、そういうふうに見られちゃうんだよ。内容のある日本語をしゃべる、そういう教育を日本の学校してないから、大学も。サルトルがなんだとかボーヴォワールがなんだとかそんなのどうにもしょうがないわけね。だから鈴木大拙が英語をしゃべる、岡倉天心が英語をしゃべると、それみんな好んで聞いたんだよ、演説しても。岡倉天心の英語は聞いたことないけど、鈴木大拙の英語は聞いたことがある。鎌倉に、私の哲学の先生が鈴木大拙に会いたいと言うから連れていったんだよ。大拙の英語というの

＊1　邦訳はロバート・ルイス・スティーヴンソン『南海千一夜物語』（岩波文庫）。

はほとんど能がかりなんだよ。ものすごくゆっくり。こういうふうに、こういうふうに。で、禅の公案や何か、ここに、というと指の先見えるんだよ、演技的に。それすごいね。だから英語としても立派なんだ。だからペラペラペラペラしゃべる英語は頭の中の脳にもともとないからね、なんか形になってしゃべっちゃうでしょ。あれは軽蔑されるね、ほんと。

英語というのは自分が統制できるスピードでしゃべるのが一番いいんだ。速くしゃべっちゃうと決していいことはない。いや、大拙の英語、一度だけしか聞いたことないけど、ああ、なるほどな、世界どこ行っても通るんだなと。

谷川　ゲーリー・スナイダーの日本語に似たようなことを感じましたね。

鶴見　スナイダー、迫力あるでしょ。

谷川　ええ。あの日本語、いいですよ。すごくゆっくり、簡単な言葉でちゃんと自分の考え方を伝えるんですよね。

鶴見　スナイダーは私にとってLSDの同志なんだよ。[13]私は国際会館〔国立京都国際会館〕借りてべ平連、世界のベトナム反戦会議やるから、手が足りなくて困っちゃってね。持っている脱走兵、スナイダー連れてきてくれないかと言ったんだ。引き受けてくれると言ったんだよね。大変喜んだ。そしたらパッと、今晩、とて

「今日は三十九年ぶりだね」

もいいLSDが手に入るんだけど、やらないか、と言ったんだ。これはもうやくざの仁義、いやですと言えないんだよ。やったことないんだからね。じゃ、出直してくると言ってね。その次の日が大掃除の日なんだよ。つまり私はそれすっぽかしちゃったわけだ。だから私は細君に全部おっかぶせて、スナイダーのところにもういっぺん行って、そのLSD飲んだわけだ。

そうするとスナイダーは私が飲む半量を飲む。そうしないと調子が合わなくなる。スナイダーとスナイダーの細君と。で、実際にこれ効いてくると足腰立たない。こんな大きな枕、あれ中国から持ってきたのかもしれないけど、「邯鄲《かんたん》夢枕」、もう腰が抜けちゃっているわけ。ところが浮遊した感じがあって、なんか自分が乱交状態にいる感じなのね（笑）、スナイダーの細君と。で、なんかとっても笑えてくるんだよ。竹の節がポッコーンと抜けたという感じ。竹の節が抜けて向こう側が見えたらば、やっぱり向こう側はなんにもなかったんだ。この世界というのはしっかりした根底に支えられているんじゃなくて、抜けたら向こうゼロ、なにもないんだ。そしたらものすごくおかしくて笑えて笑えてくるんだよね。

スナイダーが向こうにいて、その笑いは何の笑いか、と日本語で。ちょっと答えに苦しんだんだよ。そしたら彼は自問自答して、それは神々の笑いでしょう、と。ほんとにこれ詩の世界に浮かんだね。いやあ、驚いた。スナイダーって大した男だよ、あれは。で、日本語しゃべるのも迫力がある。
谷川　そう。
鶴見　おもしろい男だね、あれは。
正津　元気ですか。
谷川　元気でしょう。
正津　昔、学生時代に会いましたけどね。
鶴見　おもしろい人だったね。感覚が合うんだ。スナイダーっていいやつで、波長が合うんだよ。ヴァージニア・ハミルトン[*2]だってそうなんだ。いいやつなんだよね。そういうのはちょっと言語というのを超えているんだよね。
谷川　そうね。
鶴見　ヴァージニア・ハミルトンはアフリカ系だから黒人の血が入っている。あまり人種にもこだわらないね。確かに連歌というのはおもしろい領域で、すばらしいと思う。だから意外に特殊日本的なものが、たとえば寿司なんていうの絶対広まらないと思ってたけど、回転寿司。
正津　あれはすごいですよね。

＊2　ヴァージニア・エスター・ハミルトン(Virginia Esther Hamilton　一九三六〜二〇〇二)　アメリカの児童文学作家。自身の出自であるアフリカ系アメリカ人の歴史を主題にする。

鶴見　それでアボカドみたいなとんでもないものを入れて醤油かけて食わせるでしょ。あれ、けっこうマグロに似ているんだよ。

正津　おいしいよね。

鶴見　日本文化の中で寿司と連歌、連詩だね。これが国境越えるとは思わなかった。

谷川　あれは、でも、大岡信の功績なんですよ。

鶴見　エリセーエフが小さん[*3]の落語が非常に好きなんだ。小さんの落語よく聞きに行ったのね。寿司も非常に好きなんだ。日本橋で寿司を食べて、それから約束があるんだと。歯医者に。歯を抜くことになっていて、せっかくうまい寿司を食った後、歯を抜くことになって、本当に脂汗を流すというのを小さん流の仕方話でやるんだよ、日本語で。

谷川　へえっ。

鶴見　相手は私だけなんだよ。だけどエリセーエフというのはそういうところに真骨頂があるんだ。英語できないんだから、だからアメリカ人の学生に伝えたってだめなんだよ。エリセーエフの小さん譲りの仕方話。寿司食った後、歯を抜くという、なかなかのものですよ、芸がよければ。エリセーエフは野上豊一郎、野

＊3　三代目柳家小さん（やなぎや・こさん　一八五七〜一九三〇）落語家。夏目漱石は『三四郎』の中で小さんを絶賛している。

上弥生子の仲間なんだ。

谷川　あ、そうなんですか。

鶴見　『漱石日記』に出てきますよ。同じ仲間なんだね。阿部次郎[*4]先生の文章はいいですねと言うんだよね。（安倍）能成[*5]先生のほうが飾りがなくていいんだから、ある種の文体眼があるんだよ。

谷川　能成さんておもしろい人だったな。うちの父が国立博物館の次長に一時なったのは、能成さんが館長さんで誘われたんですね。その関係でよくうちに安倍能成さんが見えてて、僕はまだ高校生ぐらいだったんだけど、酒飲んで酔っ払ってくるとうちの母に向かって、奥さん、柑橘類はありませんか、と言うんです、なんかミカンか何か食べたいらしいのね。で、俺まだ子供だったから、夜、使い走りさせられてたら、名前が連ちゃんになっちゃったんですよ。連絡係の連ちゃん（笑）。で、俺のことを連ちゃん、連ちゃんと呼ぶの。おかしな人だったよ。

鶴見　あの人は文章に飾りがないんだよ。気取りもない。阿部次郎は一番なんだ。一高で一番。能成は一番じゃない。おやじがよく、阿部次郎は自分より一級上の一番なんだ。いつでも遊び歩いていて一番だから、自分よりも偉い。自分は勉強して一番なんだから、と。だから一番はこわいよ。一番で一番病にならないとい

＊4　阿部次郎（あべ・じろう　一八八三〜一九五九）哲学者・美学者。漱石門下。一九二二年、東北帝国大学教授に就任。ゲーテやニーチェを研究。

＊5　安倍能成（あべ・よししげ　一八八三〜一九六六）哲学者。法政大学教授、京城帝国大学教授、第一高等学校教授を歴任。戦後の一九四六年には幣原喜重郎内閣で文相を務める。

うのは大変難しい。いることはいる。

谷川　われわれの周囲にはそういう人はいないな。

正津　いない。一番下の人ばかりだから。

谷川　一番。まあ、大岡なんか、もしかすると一番だったかもしれないね。

正津　一番かもわからないね。

鶴見　詩人で一番というのは少ないんだ。宮澤賢治が小学校の時はずっと一番だった。中学校に行くとガターンと落ちてずうっと。

正津　落ちっぱなし。

鶴見　山登りして鉱石集めたりするでしょ。それで高等農林落第しちゃうんだ。落第して、なんか入院して看護婦と恋愛して、この看護婦と結婚させろとおやじと大ゲンカして、おやじに弾圧されて、結局また勉強して、今度は一番で入るんだよ。で、高等農林卒業するまでずっと一番なんだ。一番という話をわりあいに賢治ファンは言いたがるんだけど、間の中学校で惨憺たる成績の時もあるんだよ。

正津　先生は一番じゃなかったんですか。勉強できて。

鶴見　私はね、小学校というのは、中井（英夫）[*6]やなんかは一部なんだ。男ばっかりなんだよ。私は二部で隣の教室で、男二十一人、女二十一人なんだ。女二十一

＊6　中井英夫（なかい・ひでお　一九二二〜九三）詩人・歌人・小説家。著書に、日本探偵小説史上の三大奇書の一つに数えられることのある『虚無への供物』（一九六四）など。鶴見とは小学校の同級生。

人で、常に一学期の級長が一番なんだ。これが木村清太郎といって、一高に優秀で入り、東大法学部出て、死んでしまった。二番が永井道雄[*7]なんだよ。嶋中鵬二[*8]は二十一人いるなかの十番ぐらい。私はすぐその下ぐらい。びりではなかった。一番落ちた時で、びりから六番。それから試験は通るんだよ。府立高等学校尋常科の一年生に入って、その一学期、八十人中の十二番ぐらいだな。その時に一級上で一番だったのが山下肇[*9]なんだよ。八十人中の一番。十番以内に入ったことないんじゃないかな。だってその頃、これがいけないんだよ。修身、教練、体操、武道、この課目みんな最低点つけられたら、そこで足引っ張られるから十番以内に入れるわけないんだよ。だから、このへんでかせがなきゃ。

正津　一番病になっていない。

谷川　鶴見さんはなんかもう幼児の頃から一番病になるまいと思っていたんだ、学校入る前から。そんな感じしない？

――ええ、そんな感じがしますね。今日は、お話を伺っていて、いろいろなことを考えさせられました。

鶴見　今日は三十九年ぶりだね。

正津　そうでしたっけ。

＊7　永井道雄（ながい・みちお　一九二三〜二〇〇〇）教育社会学者。代議士・永井柳太郎（一八八一〜一九四四）の長男。京都大学、オハイオ州立大学で学ぶ。京都大学助教、東京工業大学教授を経て、一九七四年、三木武夫内閣に文相として入閣。

＊8　嶋中鵬二（しまなか・ほうじ　一九二三〜九七）一九四九年、中央公論社社長であった父・嶋中雄作（しまなか・ゆうさく　一八八七〜一九四九）の死去に伴い、同社社長に就任。一九六一年、「風流夢譚」事件で右翼テロの標的にされ、家政婦が死亡し妻は負傷。

谷川　なんで鶴見さんが覚えていて正津が覚えてないんだよ。

鶴見　無言の威圧感をもって私に対していたから、私のほうが覚えている。これ、珍しいよ。

正津　全然だめな人間だから。

谷川　鶴見さんに威圧感を覚えさせたということで歴史に残る。

（二〇〇三年三月二十二日　京都・鶴見氏宅および「猫町」にて）

同年末に、発売元を担っていた鶴見らの『思想の科学』天皇制特集号の発売停止と無断廃棄を行い、騒動となった。鶴見、中井英夫とは小学校の同級生。

＊9　山下肇（やました・はじめ　一九二〇〜二〇〇八）ドイツ文学者。東京大学教授、関西大学教授を歴任。

正津勉 編

鶴見さんの詩、心を
より深く知るための
アンソロジー

＊　本文中、脚注には収まりきれない項目および詩や詩人に関する鶴見さんの論考（一編のみ正津のものあり）を抜き出して見ました。
　鶴見さんの「詩」への思いを知る一助になれば、と。

――正津勉

①選集の編者　正津勉

「学生は、よくしゃべる。四十年前に、二人づれで私の家を訪ねてきた学生がいて、すわったまま一時間あまり黙っていた。そのためにかえって四十年後も、彼ら二人は記憶にのこっている。

二人とも詩を書く人だったが、そのひとり正津勉《しょうづべん》が『詩人の愛』（河出書房新社、二〇〇二年）という本を送ってきた。それは、さまざまの詩人のさまざまの愛について、それぞれの姿が浮かびあがるように編まれている。黙っているというわざにたけているだけでなく、他人をよく見る人でもあるのだと思った。

あらゆる書物を読むことはできないから、たよりになる選集は、とても役にたつ。」

（『思い出袋』岩波書店、二〇一〇）

②鶴見さんは、詩人である

鶴見さんは、詩人である。このことでまずは、当方作の鶴見先生追悼詩「Basserarete　iru　no　ni」（未定稿、未発表）、をみていただきたい。

Kaki no ki wa
Kaki no ki de aru
Koto ni yotte
Basserarete iru no ni

わたしは最後の鶴見俊輔ゼミの生徒でした　ほとんど教室には出なくて夜昼なく遊びほうける　まったくド阿呆なバカ学生であって　いまさらながら深く悔やまれるばかり　どうにもなんとも教壇で説かれることに　ほんとうにさっぱり理解が届かないできた　というようなできの悪い部分にかわらなくも　このちもずっと先生の教えのもとにあります

Shozu Ben wa
Shozu Ben de aru
Koto ni yotte
Basserarete iru no ni

これをどう受け取られるだろう。鶴見さんの「KAKI NO KI」(詩「KAKI NO KI」鶴見俊輔『不定形の思想』、文藝春秋、一九六八、所収)に出会った。そのときの思いはつよくいまも活きている。鶴見さんは、わたしにとっては『京都詩人傳』のひとりであった」

(正津勉『京都詩人傳　一九六〇年代詩漂流記』アーツアンドクラフツ、二〇一九)

③天野忠

天野忠という人に会って話したことはない。彼の著作のほうは、おそらく、読まなかったものはない。

戦争中に、京都大学の学生を中心とした『リアル』という雑誌があって、その雑誌に連なる文人の一人である。職人の子として育ち、軍国主義の時代に入って、学生が思想上の立場を変える中にあって、この人は、態度を変えることがなかった。日常の態度に根ざさない思想は、たよりにならない。日本の大学一五〇年の歴史は、そのことを自覚しない。

(『風韻』二〇〇五年)

④新平の漢詩

とにかく後藤新平はきわめてとりとめのない人で、矛盾したことを平気で言っている人なんですよ。最初に牢屋に入ったときが大変に大きいと思います。牢屋というのは、一種の学校なんです。入ったときに、結構メモをして詩を書いているんですね。平仄が合っているかどうか私はよくわからないのですが、ぽかっと荘子を思い出して、荘子は胡蝶を夢見て、自分が胡蝶なのか荘子なのかわからない。結局人生なんていうのはどちらがどちらかわからないので、計画どおりにはゆかないというんです。ですから先の先まで考える必要はないと。彼は、その後わずか二〇年ほどたたないうちに鉄道大臣になっているでしょう。本当に矛盾しているんだ。プログラムなんてどうでもいいという詩を書いているんですから。なかなかおもしろい詩なんですよ。私は現に持っているんです、そいつを。

（「祖父・後藤新平について」、『環』21号、二〇〇五年四月）

⑤退行計画――抄――

（前略）

はじまりがわからず、おわりもわからないという自分の歴史への恐怖は、自分自身の影が薄くなることで、恐怖そのものも薄らいできた。自分がなければならないという理由は、薄い。自分が消えてゆくということへの恐怖も、薄い。

うまれついたところと、ほぼ反対のところにきたことはたしかで、今では、鏡のなかに見るように、もとの自分を見ることができる。だが、その鏡のなかでも、今のひたいのかたちは昔のひたいのかたちに、今の鼻のかたちは昔の鼻のかたちに対応しているので、やはり自分であることから逃れることは、できない。しかし、今の自分を、昔の自分のもぬけのからと感じる時の、この説明しにくい虚脱感。

自分は自分のもぬけのからで、だからこそ今、自分の上にたってふんだりけったりすることもできるのだが、そのふんだりけったりも、べつにもうそんなにしたくも、ないのだ。

（中略）

昼間の風呂場に行くと、何となく場ちがいな白けた感じがする。水道の蛇口に馬蹄の形にホースがかかっている。家に人のいない時、誰も相手にしてくれない時、よくそこに行く。馬蹄形のかかったホースを見ると、きまって、切ない感じが自分の中に呼びさまされる。いつも、きまってそうだ。もやもやした、とらえにくいものというのでなく、いつもはっきりと同じ感情なのだ。これは、何だろう。

ホースそのものではない。家とか、木とか、ゴムとかいう物ではない。午前十一時ころか、人のいない風呂場にかかっている馬蹄形のホースを見ると、きまって、ある感情が自分の中に正確に呼びさまされる。いつも、同じだ。それが、いつも同じだという保証はないような気もするので、今度こそは、もうその感じがあらわれないかと思ってそこにゆくと、今度も、それは確実にあらわれる。その確実性をたしかめるだけのために、何度も、昼間の風呂場にひとりで行った。そこには、象形文字を解読するような確実な手ごたえがあった。相手が文字ではないのだから、言語以前の思想の形成術といったものだ。

庭の終ったところに壁があり、そこには日があたらない。いつも、しめったようなにおいがあって、黒い土の上に、みょうがが生えている。そこも、そこに行けば確実にある同じ感情をもつところだった。

だが、人間は、そういう同じ感情を確実に呼びさます糸口にはならなかった。同じ人があらわれても、どのように憎み、どのように親しむかが、いつも自分には、あらかじめわからない。人をさけて、物につこう。ひとつひとつの物とひとつひとつの場所に自分の心をからみつかせて、確実に、自分の中に規則のある感情の展開の技術をつくりだそう、とわたしはいつからか考えた。

小学生のころわたしは努力して煙草をすっていた。煙草をすうことができるという見栄《みえ》は別として、それは、自分を灰のようにかえ、無機物のようにしてゆく希望をもたせたからだ。自分のにおいが、たえられなかった。時間がたえられないということは、そこから来ていただろう。無色無臭の時間というものがないからだ。

輸送船の甲板に建てられたにわかづくりの便所を掃除する役がまわって来た時など、急に元気が出てきて、ホースをふりまわした、あのへんな元気は、どこから出て来たか。青空の下で甲板上に糞尿をおしながし、その中を走りまわった時の快活さを、今も、思い出す。

そのいろいろなものの河が、滅茶苦茶な戦争の現段階をそのままあらわしているように思えた。その自分たちの状況を、目をそらさずにまっすぐ見ている自分は、いいものだ。

シンガポール沖のかんかんの日照り。

自分の汗、吐く息、糞尿と精液を許すことなしに、どうして自分の存在をうけいれることができようか。他人の存在をも、どうしてうけいれることができるか。


わたしの思想の底には、単純なからくりが仕組まれているのだろう。わたしの母は、おそらく、わたしに糞便をきらうようにしつけた。自分の排泄への嫌悪。それがたやすく、自分の存在のうけいれにくさと結びついた。

それから、性。このことについて書くことが、自分の生涯の仕事になるかと思った。しかし、ハヴェロック・エリスがあり、フランク・ハリスがあり、キンゼイがあることを知った今、こまごましくこれについて書こうと思わない。ただ、ここにも、わたしの母がわりこんでくる。

母は、わたしのどんな欲望の中にもわりこんで来て、わたしの欲望とその相手との間にわってはいる。このように自分を独占されることが愛されることだとしたら、愛されることだけは、こりごりだと、今はおぼえていないほど小さい時から確信をもってきた。わたしは、わたしの歴史のはじまりこのかた、愛にかつえたことがない。
一生分、愛された。それは、窒息しそうな経験だった。ある夜、眼がさめて、自分の呼吸が隣の部屋から計られていると思った。そう思うと、たえられなくなって、ふとんをかついで、三階分の階段をおり地下のボイラー室までいって寝た。そこまで降りても、この家にいるかぎり、母から自由に眠ることができると思えなかった。

誰にとってもそうかも知れないが、母はわたしにとっては巨人だった。わたしの上におおいかぶさり、わたしを、その腕の外に出られないようにした。

何よりもこたえたのは、こどものころのわたしには、母の正しさが疑えぬことだった。正義の道は、母が独占している。その道を、母の言うとおりに服従して歩いてゆくか。もしわたしが自由を欲するならば、わたしは悪をえらぶ他なかった。つねに、悪をえらぼう、これが、はじめにわたしのなかに生じた魂の方向だった。した悪事が今から見て小さいことだったとしても、それぞれの時期に、わたしにとっては、力いっぱいの努力だった。

母は、彼女自身を好いていたと思えない。わたしは、母のなかに、たえざる自己嫌悪を見て、それをまなんだ。それがわたしにとって不幸感の源泉となった。

わたしは、母のなかの正義から逸脱した。それが、わたしにとっては、幸福の源泉となった。

今は母は死んだので、こどものころの地獄のような毎日の格闘がなつかしい。

（中略）

罪をせおっていると、わたしが小さい時から考えて来たことは、多くは、人の前で公言できない女性への欲望をこどもの時からもって来たことによる。自分の底にある罪を、自分は納得できない。はじめに罪があり、毎日毎日が罪だと考える流儀を、今はうけいれたくない。

はじめに思いちがいがあったから、自分は生まれた。自分の意識の歴史もまた、最初のページから思いちがいではじまる。自分の思いちがいを世界にこじいれ、どうにも仕方がない時にだけ、すこしずつ、その思いちがいを直す。

わたしの見る世界に、わたしにとって親しいガラスの紐の文様《もよう》がうつるように、わたしのもつ像は、それぞれが思いちがいを含んでいる。

自分一人が生きていて、あとの人々は全部、舞台の袖のところで消える、という図柄は、いくら押しだしても、くりかえし、いつかはわたしの頭のうしろに入りこんで住みつづける、押しだすことのむずかしい思いちがいだ。この思いちがいとともに生きる他はあるまい。

思いちがいを恐れずに、毎日新しく思いちがいを世界にこじいれてゆく他ない。ひどい思いちがいは、わたしをいたい目にあわせる。そのいたさにたえて、自分の思いちがいにしがみつくか、すてるかは、わたしの自由な選択だ。

いたい目にあうごとに、わたしは、自分のえりくびをつかまれて、真理のほうに向けられる。真理は、痛い方角にある。しかし、真理は、方角としてしか、わたしにはあたえられない。思いちがいに思いちがいをついで、その方角に向うのだ。思いちがいのなかで、思いちがいをすてることでその方角を向いて死ぬ以外に、何ができよう。

（中略）

しかし、いやなことが、自分を支える。小学校から自分を追い出し、中学校から自分を追い出したいやな体験と、自分の家から自分を追いだした戦争の記憶とは、今では、自分の根底になっている。それは、新しい岩床と呼ぶことのできるような固い実質ではなく、自分がその殻の中に住まなくてはならないような殻はないのだという、あたりまえの気分である。

不良少年だったころの感情と戦争を過したころの感情とは、自分の中に今ものこっていて、マイダス王がその手でふれるものすべてを黄金にかえるように、自分にかぶさってくる名前をどれも名目的なものにかえてゆく。

国家は自分にとっていつも国家であるとかぎらないし、家庭は自分にとっていつも家庭であるとかぎらない。自分の子は自分の子であるとかぎらないし、ある時は子が親であるかもしれない。男は女であるかもしれないし、女は男であるかもしれない。

私には、時として、自分と自分との関係さえはっきりしなくなる。自分にとって自分はどういう関係があると言うのだ。

戦争中、どんなまずいものも食えたし、どんな服装もしたし、どんな仕事もした。今も、この職場からはなれて、それが自分の終りということもない。何でも、やめることができる。そのことを考えると、わたしは急に、母のことが可哀想になる。彼女は終りまで、自分にわりあてられた地位をやめることができなかった。家を出てくらしているわたしにたいしても、死ぬ時に、しっかりやってくれとしか言わなかった。家の中で生涯を送るものとして、別の軌道にいるものに何の言うことがあっただろうか。

少年のころの友人に斗ヶ沢というのがいた。ひどく背が高くて、感情も大人のようだった。わたしたちは一緒にいろいろのことをした。私は放校になった。それからは、つきあいもなく、消息はたえた。このごろきいたところでは、彼は養家から勘当され、下宿の二階で結核をわずらって死んだそうだ。斗ヶ沢の記憶は、戦争で死んだ友人の記憶と一緒にわたしの中に沈む。どのように、その過去がわたしを支えるものとして今生きているとしても、それは、何人もの友人の苦痛をつくりだしたものだ。いいものだとは言えない。

自分の身のまわりに何かを認める。何かのことをする。そういう今の、一つ一つのことの中に、斗ヶ沢が住み、私の母が住み、私とある時間をすごしてくれた女性が住み、それらの人々と向きあう姿勢の私が住む時に、はじめて、その一つのことは、私にとって生きる。

昔の当の相手がいないとして、そのいない相手にむかって指しつづける何かの試合として、自分の人生がある。

自分にとって自分とは何か？　終りのない試合を続ける、かこいのはっきりしない場所のことだろう。

（「展望」一九六八年三月号）

⑥黒田三郎

ここでこの人にさそわれたら、その仲間になって、今日まで来ただろうと思う人が、私にはいる。

戦争中のジャワで黒田三郎に会ったら、彼をたよって、「荒地」にいれてもらっただろう。

戦中、そして敗戦後の私の気分は、「荒地」の執筆者に近かった。

しかし、そうはならないで、私は「荒地」の読者になった。

黒田三郎は三歳のときに生まれ故郷の鹿児島にかえり、関ヶ原における島津義弘の敗戦を記念しておこなわれる行事に参加したりしていた。幼い彼が入っている写真が残っているそうで、そういう薩摩武士の子としてそだてられて、土地の気風になじめず、だが野性のある桐野利秋《としあき》のような人が好きだった。

鹿児島の第七高等学校造士館に入り、西欧モダニズムの雑誌「VOU《バウ》」に投稿する。十七歳の詩人として、自分でそのころ英訳した作品が、『英米シュルリアリスト詩集』（ペンギン文庫として復刊）に出ている。日本の詩人としてただひとり。戦後の黒田三郎の詩風からはシュルリアリズムは想像できない。

私が黒田三郎の作品に心をひかれたのは、「引き裂かれたもの」という詩である。どこで読んだかは忘れたが、結核患者のすわりこみについて、発表された。

その書きかけの手紙のひとことが
僕のこころを無惨に引き裂く
一週間たったら誕生日を迎える
たったひとりの幼いむすめに
胸を病む母の書いたひとことが

「ほしいものはきまりましたか
なんでも言ってくるといいのよ」と
ひとりの貧しい母は書き
その書きかけの手紙をのこして

死んだ。

「二千の結核患者、炎熱の都議会に坐り込み
一人死亡」と
新聞は告げる
一人死亡！
一人死亡とは

（中略）

無惨にかつぎ上げられた担架の上で
何のために
そのひとりの貧しい母は

死んだのか
「なんでも言ってくるといいのよ」と
その言葉がまだ幼いむすめの耳に入らぬ中に

これは新聞と地つづきである詩、というよりは新聞記事の中におかれた詩のように思われた。

そのころ私は、「思想の科学」という雑誌の編集を、内幸町の幸ビルでしていて、道をへだてて向かいのビルにNHKがあって、そこに黒田三郎がつとめていた。ある日、NHKの一室に彼をたずねて、「思想の科学」に書いてほしいと言い、「「荒地」について」(一九五九年十二月号)という一文を書いてもらった。

とても穏やかな受けこたえをする人だった。そこから、彼が大酒のみだなどということは、想像もつかなかった。

道をひとつへだてたビルにいると、うわさは流れてくる。同じNHKの職場に、「夢みるフランス人形」とあだなされた人がいて、その人が黒田三郎の妻となったなど。

「夢みるフランス人形」というあだなは、考える力のない人を思わせる。だが、この人は書道展に作品を出しつづける書家であり、夫の死後、黒田光子『人間・黒田三郎』という本を書いた。これが、とてつもなくおもしろい。

それはずっと昔の話、鶴巻温泉という所にある田村隆一さんのお宅まで、真夜中に車を走らせて夫を迎えに行った時のことです。毎度のことながら、酔った黒田の巨体を車にのせるのは困難を極める作業でして、これには腕力と機敏さと、高度な技術を要します。この時も運転席の後ろのシートに彼を落ち着かせることは出来たのですが、ドアの外にニョッキリ突き出した二本の足を中に入れるのに、さんざん手こずらされました。両掌で丸太棒をかかえるようにして先ず一本だけなかに入れもう一方の片方の足に取りかかるや否や、前の片足がドタリと車外へ投げ出されて元のもくあみ。折しも降り出した雨が次第に激しさを増し、全身にシャワーを浴びながら力仕事をしている按配で、一本ずつ代り番こにこの大男の足を持ち上げたり折り曲げたりしているうちに、その靴の踵で、したたかに額を蹴りつけられてしまいました。よく漫画に目から火の玉が散っている絵がありますが、まさにあんな具合です。目のなかいっぱいに爆薬が炸裂したような閃光が飛び交い、その激痛に私は暫時へたばりこんで動けませんでした。こんな風に夫に接触して怪我をした経験は何度となくある筈なのに一瞬の不覚でした。顔の血を拭き拭き、みると夫が両足のつま先を地面につけ、上体を車外に乗り出そうとしているではありませんか。私は矢庭に立ち上がるや、酔っぱらいに襲いかかり、そのおナカを押して押して押しまくって、座席に尻餅をつかせ、瞬間、両足が宙に浮いたを幸い、間髪入れずに二本もろとも車内におっぽり込んでしまいました。そして威勢よく、ドアをしめると、命からがら猛牛を仕止めたあと悠然とポーズをとってみせる闘牛士のように、私を観衆すなわち縁側に立って見物していたこの家の主に向って、ニッタリ笑ってみせ、別れのご挨拶をすると、田村さんも手を振ってくださり、じっと酔眼をわたしの顔に据えて、

〝黒田の女房ってユカイだなあ〟

愉快？　そりゃどういうことです？……でも、そんなこと言ってる場合ではないので、車中で喚き続ける夫を伴って、急いでその場を走り去ってきたのでしたが。……夕方になると、必ず車を満タンにし、他人の家や酒場から、或時は警察署から、或時は救急病院から、酔いどれた惨めな夫を貰い下げてくる、哀しい日課を持った女を「愉快」とはあんまりな！　と、そのときは思ったのでしたが、あとあとこの田村さんの言葉がふっと浮かぶ度に不思議とこれが、超ドライな田村さん一流の、優しい思い遣りを内蔵しているように聞こえてならないのでした。

（黒田光子『人間・黒田三郎』思潮社　一九八一年）

「夢みるフランス人形」がどうしてこのような迫力ある現実描写をなし得るか。
この書物のまんなかあたりに、黒田三郎の詩に小さなユリとして登場することども（実は二人）によって書かれた「かなしい西部劇」の一文がはさんである。「真夜中の凄絶《せいぜつ》なアトラクション」という副題をもつこの記録文は、「須田ユリ」の名で発表されているが、実は、黒田光子によって書かれたもので、よっぱらってかえってきてこども二人を相手に西部劇を演じおえた後、「わしのことはいいから、光子お前らは逃げろ。俺の馬に乗って、早く、逃げるんだ」と叫びつづける。

その言葉は、黒田三郎没後も、ユリの中にこだまとなってひびく。

あの西部劇ごっこの夜のように、「俺を置いて行け」という父の言葉に叱咤されて私たちは今、父を一人だけ見捨ててきてしまった。そして私たちは互いにそのことに触れないように知らん振りして暮らしている。けれど、あの可哀そうな父親を独りだけ、人っこ一人いない場所に置いてきぼりにしたという意識が、心の深くに刺《とげ》のように突きささって、日が経てば経つほど、動けば動くほど疼《うず》くのだ。

敗戦後に読んだ何冊かの「荒地」は、私にその書き手を親しいものにした。ベ平連がはじまって、鮎川信夫は、この運動をおろかな運動としりぞけ、私をバカと呼ぶ文章を書いた。私は、一度肩入れした人にあざけられても、その人に対してあざけりをかえすことはない。その後何年もたって、編集者が鮎川と私の対談を計画したとき、鮎川はおそらく私がことわると思ってかるい気分で承諾したのだが、私がひきうけたのが意外だったのだろう。その日は穏やかな受けこたえに終わり、かえりに新宿の街を歩いているとき、

「どうも、このごろ、音楽をきいても、画を見ても、昔のように感動しない。どうしたものだろうね」

と私に相談をかけてきた。その話しかけに彼の少年のようにやわらかい心を感じた。

私にはこたえられなかったが、彼はこのとき初老性ウツ病の中にいたのではないだろうか。

黒田三郎は鹿児島でそだち、土地の方言によって感じ、考え、そのころ書いた詩が、彼が外地からかえらぬままに、日本で「戦後詩」として分類され、そのころ書いた詩の自分訳が、シュルリアリズムとして英米人の眼にふれた。

敗戦直後、僕が激しく教条主義を攻撃したのは、なぜだったのか。表面はともかくとして、今の僕には共通語の底に眠っている方言に一因があるように思えてならない。そのなかにある価値観や倫理観に対する、肯定、否定の両面においてである。

（黒田三郎『赤裸々にかたる　詩人の半生』新日本出版社　一九七九年）

田村隆一は、黒田について、「薩摩士族は、大言壮語を嫌い、過剰な表現を、もっとも卑しんだ。黒田三郎の詩の表現にも、その血は、まぎれもなく流れている。さらに、あえて言えば、詩を書く、おのれの感情を詩に表現するということ自体に、彼ははげしい羞恥をおぼえるものと、ぼくは見る」と書いた。

（田村隆一「二篇の「道」をめぐって」「新国語通信」一九七二年十一月　角川書店）

この心のありかたが、よいとしらふの上下動のもとになったのか。私は、しらふのときの彼に一度あったことがあるだけである。

（「潮」二〇〇一年五月号）

⑦「荒地」の視点

『鮎川信夫戦中手記』（思潮社）を、おもしろく読んだ。この本は、時代精神と個人とのかかわりかたについて、いろいろのことを考えさせる。時代精神と個人とのかかわりかたは、今日の問題でもあるので、この戦中手記の二十年後の公開は、現代にたいする一つの提言ともなっている。

鮎川信夫（一九二〇—八六）は、早稲田大学文学部予科の学生仲間十数人と相談し、「荒地」という同人雑誌を出す計画をたてた。一九三八年十一月のことだ。その雑誌は、一九三九年三月に発行され、二年間のうちに六冊出して終った。その後に、かれらの出征があった。鮎川は、一九四二年に召集され、スマトラで軍隊生活をへた後、結核になって日本におくりかえされ、一九四五年の二月から三月にかけて、福井県三方郡の傷痍軍人療養所で、この手記を書いた。

「荒地」という同人雑誌の題は、T・S・エリオットの詩からとられており、戦争の初期エリオットの属していた「失われた世代」の心境につらなっていた。

まっただなかにあって、この青年たちは、祖国を失っていた。

アジアの各地にちらばって軍務に服しながら、かれらは手紙をかわす。

ビルマの友人から――「かつての生活を今はどのように判断し、どのように新らしくとらえた世界を容認しているのだろうか？」

スマトラの鮎川からの答。「僕はすこしもかわらない。かつてあったもの、かつて僕の讃美した一切のものは、今もかわらず讃美しているものの一切である。」

軍隊の体験は、軍隊に入るまでに鮎川をとらえていた思想を、確信にかえた。学生のころには現在の政府の政策を正当化するための道具となった歴史学にたいして、鮎川は、反撃をくわえるというほどの積極的な態度をもち得ず、口ごもりがちだった。

「私はまったく別の〝荒地〟的な信念をいだいていたが、そうした信念を表明するためには何か経験において欠くるものがあるように感じていた。」

しかし、戦場から帰ってきた兵士として、鮎川は、今では、もともと抱いていた思想を、情熱をもって生きるところまで来た。

「戦場の喧騒の中から襟がみをつかんで引起されるような明察によって再び〝荒地〟への関心が昂まってから、私の歴史に対する考え方ももっと不変に近いもの、真摯なものとなってきたわけである。私が臆面もなく自己を主張することによって〝荒地〟の性質はいよいよ明白となり、その光輝と種子との接受者たちへの共感となって表われてくるのは、何という喜ばしいことであろう。私は〝荒地〟にTが居なかった場合、或はFが居なかった場合、何を失ったであろうか、TやFが我々に不死なる〝荒地〟のなかに於て示したものは何であったかを、まざまざと今こそ感得することが出来る気がする。〝荒地〟がなかった場合一番危殆に瀕するのは自己の精神史なのである。嘗て〝荒地〟に於てあったもの、生きていたところのものは何ものも我々から失われてはならない。故意に忘佚したり、事実を歪めたりする時に我々は〝荒地〟そのものを危殆に瀕せしめ、当然人間性そのものを損なうことになる。〝荒地〟は我々が今後も新らしい精神によって燃え新たなる精力によっておし進めなければならぬ確実なるものである。それ以外に我々の根底とする思想もなければ抽象的思弁による普遍的倫理や人間主義の観念的理論も存在しないということを知っている。肉体化されてこそはじめて不死なる魂も本質的なるものも歴史の顔を持つのである。時間は常に具体的な形態に顕現することに於て真の意味を獲得するのであり、人間化されない変化などというものはあり得ない。人間のものとなってはじめて現象界は汲み尽し得ざる〝興味〟の対象となり、歴史の計り知られざる価値の存するところとなる。」

ここに鮎川の言う歴史観は、もうすこし先で次のように解きあかされる。

「「荒地」は我々にとって最もはっきりした経験的事実の集まりとして確実に把握し、細部についてもその「事件」の核心について繊細に感じとることのできる特殊な社会史であるとも言えよう。

個人の数が大になるに従い、肉体的にも精神的にも個人的特性は次第に失われてゆき、社会の存在と一定持続とに依存している一般的性質や事実が愈々明白になってゆく。個人よりもあらゆる個人によって統合せられている社会への関心によって歪められた虚弱な批判精神に対しては〝荒地〟は実に社会と個人との間にある例外的な段階を示すものである。個人のいない社会があり得ないように、君や私のいない〝荒地〟はあり得ないし、社会がまた多くの〝荒地〟的なものに支えられていることも疑うべからざることである。」

それは、個別的な事実を何一つ切りおとすことなくとらえようとする歴史観、その時代に生きるひとりひとりがまさにその人として生きつつ時代をつくりだす様相をとらえようとする歴史観、過ぎさった時代を現在あたうかぎりの力をつくして再構成し、その意味をとらえようとする歴史観である。

この歴史観が、過去の事実を現在の国策にあわせてつくりなおす戦争中の日本の皇国歴史観とあいいれないことは言うまでもない。この歴史観は、個人と社会とのつながりを見失った戦後の進歩的歴史観ともあいいれない。

戦争中に、軍国主義思想から自分をたちきった鮎川は、戦後の平和主義思想にたいしてもつめたい眼をむけた。一つには、それは、敗戦直後の日本社会の流れにたいして無条件的にみずからを結びつけてそこに正義の原則そのものがあらわれているかのような現在信仰を示したからであり、もう一つには、それが個人の思想の自由を制約する新しい種類の全体主義に支えられていたからだった。鮎川が戦争手記にみずから註のようにしてくわえた解説には、次のように書かれている。

「あらゆるtotalitarianismと戦わなければ、個人の自由はけっして生きることができない。

国家や組織を理想化することによって、人がむざむざと死んでゆくのを黙視してはならない。

この手記を書いたときの私は、もちろん好戦主義者ではないが、そうかといって平和主義者の心をもって書いたとは言いがたい。

　戦争の悲惨は悲惨として、空想的かつ滑稽な仮定だが、ナチの軍隊と戦ったのなら、あの時の私なら無名戦士でけっこう満足したであろう。」

　ここにさしだされている考え方は、徹底的自由主義と呼ばれるべき思想である。鮎川は、たとえばクエーカーの絶対的平和主義の中にさえ、無思慮な戦争反対の理念への集団的同調を見出して、これに反対する。このような絶対的平和主義をもし第二次世界大戦中に全アメリカ人が採用したとするなら、アメリカはナチスにふみにじられていただろうと彼は言う。同じような無思慮かつ画一的な同調が戦後日本の平和主義の中にあると鮎川は考え、これに対抗する。

　絶対的平和主義は、その思想が表明される状況に応じて、その効果もちがってくる。ガンディーの非暴力不服従の運動は、その相手がイギリス帝国主義であった故に効果をあげたのであって、もしその相手がナチス・ドイツであったとしたら、政治手段としては有効なものとなり得なかっただろうというジョージ・オーウェルの指摘は適切だ。私は、現在の日本の状況の中で、絶対平和主義は有効な政治思想だと考えているので、この点では、鮎川の言うように、ここに「戦争はいやだ」という単純な理念のくりかえしとその理念への画一的同調があるからといって、それをしりぞけようとは思わない。日本人のあいだに、考えぬかれているものとは言えないまでも、どんな種類の戦争もいやだという単純な思想があるというのは一つの事実であり、この事実の上にたつ絶対平和主義的心情に色づけられた運動は、その当面の批判の相手方となる米国政府にたいしてある種の有効性をもつ。（対中国政府では有効性をもたないだろう、がそれについてはあとでふれる。）米国政府が、ナチス・ドイツ政府とちがって、その陣営内の世論にあるていど耳をかたむける性格のものだからだ。単純な信念にたいする画一的な同調は、いついかなる場合にも、それとしての危険をもっているが、その危険はいついかなる場合にも同じ程度のものではない。

鮎川の思想の中には、日本人の思想につきまとう実物への信仰にたいする絶対的拒否がある。戦争中の日本政府という実物への絶対的信仰を拒否し、戦後の日本の進歩的運動にしばしばあらわれたソヴィエトという実物への信仰や中国共産党という実物への絶対的信仰を拒否した。あらゆる実物への信仰は、おなじようにしりぞけられ、おなじ程度の否定的価値をおびる。私は、そこに現在、さまざまの実物への信仰がある以上、それらの実物信仰一般を批判するとともに、それら実物信仰のそれぞれにについてちがった程度の否定的価値をあたえる方法をとりたい。あらゆる実物信仰をしりぞけた上で、どんな実物にたいしてでも興味をもってかかわるという鮎川の「荒地」的方法は、よりしなやかな運用をゆるすものと、私には思えるのだが。

軍隊という実物への信仰を拒否して軍隊という実物といきいきとしたかかわりあいをもった生活記録として、鮎川の戦中手記は、たぐいまれな資質を明らかにする。

「班長が僕をどう思っていたかということを知ったのは、彼が書いた僕の身上調査の書類を偶然の機会に盗視したからである。それはまだ入隊して二月ほどしか経たなかった時であった。身上調査の様々な項目のうち、本人の性質特徴の項目だけ僕は素早く読みとったのである。何故僕がそんなことをしたのか、はっきり覚えていない。

「顔色蒼白にして態度厳正を欠く。音声低く語尾曖昧。総体的に柔弱の風あり」

僕はこの批評に感心した。これだけ適確に自分を浮彫にするような意地悪な世界に入ったのは勿論はじめてのことだった。僕はこの時何かしら勇気の湧きあがるのを覚え、脚がわなわな震えていたように思う。僕はこの批評によって自分は何をしなければならぬか、考えた。」

「僕は要領の悪い人間だ。軍隊ほど要領を使わねば損な所はないのだが、僕は先天的に要領が悪い。その上に多少動作が鈍い。見掛けで大分損をしなければならない。そのうち僕は一番手数がかからず認められることを実行しはじめた。何でもない、殴られる時は率先して殴られること、——これである。」

手記のこの部分について、吉本隆明は、この本の終りにつけた解説の中で、鮎川の自由主義の独自の転回として注目している。「リベラリズムというものが物質的な特権をもとにしてしか成立たないとするならば、大衆が軍隊生活に、現実生活での下積みの境遇を逃れるある程度居ごこちのよい場所を見つけたとしても、少しも否定さるべきだとはおもわないというような意見」を吉本はもっており、吉本のその意見に、鮎川の軍隊内での処世の仕方はひびきあうものだったと言う。

鮎川のように、戦時下の日本においてさえ競馬とばくちと自由な議論ができるという物質的な特権にかばわれて徹底的自由主義の思考方法を育てたものは、軍隊にたいして、いやいやながら属するというのが普通の道すじだっただろう。鮎川の場合には、その自由主義は積極的な転回を示す。彼はそれまで物質的特権をうけて来たものが日本社会で受ける罰を進んでうけようとする。と同時に、自由主義の理念そのものは、状況を批判する眼としてよりするどくされる。
このような自由主義の転回は、戦時下の日本での一つの実例であることにとどまらず、二十世紀の世界における自由主義の道すじを暗示するもののように思える。自由主義がみずから育てた物質的特権を自覚し、それらの物質的特権の保護をうけない条件で積極的に生きることを試み、みずからの転生を計ったら、どうなるか。米国と西欧の知識人の何人かは、日本の軍隊の中での鮎川信夫に似た問題を、国内での黒人との関係において、またアジア―アフリカ諸国民との関係において実現しようと考えるようになってきている。

戦後の鮎川は、戦争下に彼の育てた思想の核を、詩の運動にのみかかわらせる。

橋上の人よ
美の終りには
方位はなかった。
（「橋上の人」）

どの方位にもまげられる関節をもち

安全装置をはずした引金は　ぼくひとりのものであり
どこかの国境を守るためではない。
勝利を信じないぼくらは……

（「兵士の歌」）

その視点は戦後日本の国際主義・平和主義・民主主義の国是ならびに大衆運動とよく似てしかもそれとむきあう「荒地」という詩の運動をつくった。鮎川の戦中手記は、今ではかくしておく必要が稀薄になったために発表されたものだと言うが、この発表を機会に、戦中とも戦後ともちがう現代日本のさまざまな実物にたいして、軍隊に入隊した当時とおなじような初心をもって近づきもっとも罰をうける位置をとって新しく自己をかかわらせる方法を見出したことを意味するものとすれば、意外な収穫を、われわれはこれから十年後、二十年後に期待できる。

（「展望」一九六五年二月号）

⑧和子の歌心

鶴見和子は、宇治市の京都ゆうゆうの里で八十八歳の生涯を閉じた。脳出血後の十年にあまるこの老人施設の自分を、彼女は「山姥」と呼んだ。

八十八年の最後の十年、彼女はこれまでの学者としての文章を、九巻の著作集として刊行し、それぞれを読み直して、巻末に現在の自分から見たあとがきを書きくわえた。それは、身障者から見た近代文明の姿であった。これは、ダルマに眼を入れる仕事だった。

また、彼女が話相手になってほしいと思う当代の碩学との対話を、それぞれ一巻の対話の本にまとめた。これもまた十巻になる。

そして最後に、少女期に出した歌集『虹』に続いて、『回生』、『花道』、『山姥』の三巻を出した。

脳出血以後、幼いころ彼女の習った日本舞踊と和歌とが戻ってきて、彼女を助けた。身体不自由になってからの重心の移動のコツは、幼いころから学んだ日本舞踊の転生であり、生きるリズムとして歌をとらえる見かたは、紀貫之以来の日本の詩学の復活である。

長命の学者は多くいるが、和子のように晩期に入って詩学と生きかたとの交流をとおして自分の学問に新しい境地を開いた人は少ない。また自分が身障者として、老人として生きることが、この国の平和のための戦いの一翼を担うことになるという自覚をもっていた。

（「最終歌集『山姥』に寄せて」、鶴見和子『歌集　山姥』序、藤原書店、二〇〇七年）

⑨バートランド・ラッセル事件

一九四〇年二月二十六日に、バートランド・ラッセルがニューヨーク市立大学の哲学教授に任命された。ところが、米国聖公会（英国カソリック教会）の司祭ウィリアム・T・マニングは、『ニューヨーク・タイムズ』に公開書簡をおくって、ラッセルを宗教と道徳に反対するもの、姦通を弁護するものとして非難した。マニングは当時の米国の保守系の人たちにひろい影響力をもっていたので、この手紙が新聞に出てから、ラッセルの任命に反対する声が、宗教団体、国家主義団体などからおこった。聖公会だけでなく、ローマ・カソリック教会に属する人びとも、ラッセル任命に反対しはじめた。ニューヨーク市民からとった税金でまかなわれている大学が、このような不道徳な外人の教育を許すべきではないというのである。

この問題は法廷にもちだされた。ある母親が、ニューヨークの最高教育裁判所に（ラッセル任命を承認した）高等教育委員会を告訴して、任命のとりけしを求めた。ラッセルは、公務員採用候補者に普通要求される能力テスト選抜試験をうけておらないこと、不道徳な説をとなえていることが、教授任命とりけしの理由だった。判事は、この訴えをきいて一九四〇年三月三十日に判決をくだし、任命は認められないとのべた。婚前性交、婚外性交、試験結婚、裸体画、自慰と同性愛とを認めるラッセルの著作の故に、ラッセルの任命はニューヨーク市民にとって無礼であり、この任命によってニューヨーク市立大学はわいせつなものの席をもうけることになるとのべた。

デューイを委員長とする文化自由委員会は、ラッセル攻撃に反対する最初の団体の一つとなった。デューイは個人としても、ラッセル任命とりけしに反対し、ホレース・M・カレンと共編で『バートランド・ラッセル事件』（ヴァイキング・プレス、一九四一年）を出版した。この本の中には、デューイ自身の書いた「社会的現実対警察法廷のでっちあげ」（Social Realities versus Police Court Fictions）という論文が入っている。

任命とりけし後のラッセルはその後どうなったかというと、デューイの後援者バーンズが自分の研究所でラッセルに西洋哲学史の講義の機会をあたえ、これは『西洋哲学史』として後に出版された。やがて、ハーヴァード大学がウィリアム・ジェイムズ記念講演をラッセルに委嘱し、これは、『意味と真理への探求』

というラッセルの主著の一つとして出版されている。

私は、ハーヴァード大学で、ラッセルのこの連続講演とハーヴァードの哲学会でのピタゴラス主義についての講義とをきくことができたので、ニューヨーク市のラッセル追い出しの間接の恩恵をうけた。

(『人類の知的遺産　第六十巻　デューイ』解説、講談社、一九八四)

⑩忍者——白土三平

「忍法秘話」においては無風、「忍者武芸帳」においては影丸が、このようにして忍者をオルグして歩いては、強固な集団的主体性をつくりだす。

しかし、この集団的主体性が一枚岩のようにつよくなると、それが、メンバー個人にたいするものすごい拘束力となる。忍者の集団さえも、白土三平は、理想化してえがこうとはしない。そこにはそこなりに、上忍・下忍という階級の差別があり、下忍はさらにおいぼれて役にたたなくなれば、殺される。ちがう領主にやとわれたために、対立する忍者集団に属する場合には、ただそれだけのために相手の息の根を止めなければならぬ。

このような非情な規律がいやで、忍者集団をぬけようと思っても、リンチが待っている。「忍法秘話」は、忍者集団をのがれようとする抜け忍の苦しみを、えがく。これは、一九六〇年の安保闘争以後の左翼の分裂、党派の憎しみと内ゲバとを心においてえがかれたものといえよう。

忍者にとって、自分の忍法そのものがカセとなる時が来る。その時かれは、忍法などすてて、大衆のひとりとして単純に生きてゆくことをねがう。「変身」、「目無し」、「スガルの死」、「ざしきわらし」などは、大衆になろうとする下忍と女忍者の努力のあとをたどっている。

どこに行っても、救いなどはない。人間として生きる以上、何かの仕方で他の人間を苦しめないで生きるような条件は、どこにも見出せはしない。そうしたうめき声をあげながら、それでも、白土の作品の登場人物たちは、すさまじい光芒をはなちつつ、たけだけしく生きてゆく。

このたけだけしさがやりきれないと感じて、白土の作品からはなれてゆく、鈴木志郎康《しろやす》のような読者もいる。

鈴木は「気分の悪い強者生存の論理」(尾崎秀樹編『白土三平研究』小学館、一九七〇年)の中で、白土が、日本の社会の各階層から代表人物をえらんでたがいにからみあわせてえがくという方法をとっていることを認めながらも、それら代表人物以外の人びとは、ただ、「ウッ」とか「ケッ」とか言って殺されてゆくことを指摘する。自分がもし、この劇画の中に生きているとしたら、ただ一コマか二コマ顔を出して「ウッ」とか「ケッ」とか言って殺されてゆくばかりだろうと考えて、もう、白土の本をふたたびひらくのがいやになったという。

白土の世界では、力のある人だけが生きのこり、力のない人は殺されてゆく。力がないものは力のある奴にくっつくか、タバになって力をもとうという考えしかでてこない。

そういう考え方は、自分を力のないものと感じる読者にとっては、自分の毎日の生き方をつまらなくしてしまうという。

この鈴木の見方は、私がこれまで読んだなかで、白土の作品にたいするもっとも手きびしい批評である。

(『漫画の戦後思想』文藝春秋、一九七三年)

⑪谷川雁

晩年に底からせりあがってくる少女がいた。

小学校のころに出会った同年輩のこの女の子は、男の子から「きたない」などと誹《そし》られると、間髪をいれず「北がなければ日本は三角」と言いかえして、相手をへこませた。

谷川雁は自分の生きた七十年の日本を振り返るとき、この言いまわしが妙にいきいきとしてくるのを感じて、自伝の題にした。


彼に会ったのは敗戦直後だから、直接にその場にいあわせたことではないが、一九四三年秋、学徒出陣にさいして、東大三年生の彼は、おなじく兵士になる友人の送別会で、

「たとえドレイになっても何かを語ろうではないか。

イソップはドレイだった」

と述べた。その二行によって彼は詩人である。

軍隊で彼は何度か不服従のゆえに重営倉《じゅうえいそう》に入った。

社会学科の同級生に、私の小学校の同級生橋本重三郎がいなかったかと聞くと、

「いささかナマイキな人物ではなかったですか」

と言うので、虚をつかれた。谷川雁自身がナマイキの親玉だったからだ。

彼にはじめて会ったとき、名刺がわりのように、

「君のひいおじいさんと僕の大伯父とは、横井小楠《しょうなん》門下の愛弟子《まなでし》で、仲がよかった」

と言う。熊本ではこのように記憶ができるのかと驚いた。

地域の中からくりひろげられる世界性が、谷川雁の特色である。

熊本に私がはじめて行ったとき、書く力のある人三人の名を私に教えた。中村きい子、森崎和江、石牟礼《いしむれ》道子。それから四十年たって、この三人の名は、東京の新聞や雑誌で重さをもっている。谷川雁は、たぐいまれな編集者だった。

亡くなった中村きい子に私が会ったのは、二度にすぎない。その長編『女と刀』は、丸山眞男《まさお》を連想させる。

丸山眞男には、戦前戦後をとおして、マルクス主義には倫理についてつきつめた思索がないという認識があった。レーニンが背教者と呼んで、カウツキーの著作をひとまとめに思想史から追い払ったことに丸山は同調せず、カウツキーの中にカントの倫理が残っていたことを重んじた。人権についてのデモクラシーの平等意識とともに、文化の質についての貴族的価値感覚を手放さなかった。

丸山は転向について中立的分析を必要と見た。しかし、転向とうらぎりを区別し、うらぎりにふれるときには、眉をつり上げて嫌悪の情を示した。丸山において無視されやすいこの価値意識は、中村きい子のえがいた母親の肖像に見事に実現している。それは、明治時代の鹿児島に郷士《ごうし》の娘として育った母が、その夫に対して、ひとふりの刀の重さもない男よと見きわめて七十歳を超えて離婚し、小屋をつくってひとり住む決断であった。明治・大正・昭和の男におしまけず生きた自分たちの破鐘《われがね》をたたくほどの勢いが、口だけはいっぱしの理屈を説く戦後の娘たちに受け継がれていない、と嘆く老女の活力ある会話がうつされている。

北九州では東京とちがうものを二つ感じた。ここでは朝鮮が近い。明治維新も近い。その二つの感覚が谷川雁にあった。北九州人にとって、朝鮮は東京よりも近い。古代からのゆききは、関東や京・大阪とよりも、朝鮮としたらしい。明治維新はもともと、薩摩と長州がつくったという気分が残っており、北九州はそれに遅れたとはいえ、東京人よりも明治維新に近い。

この二つの特色は伝承の中にある。石牟礼道子の『西南役伝説』、中村きい子の『女と刀』。それに森崎和江の『慶州は母の呼ぶ声』には、今生きているこの戦後日本には自分のしたしみはわずかで、朝鮮に原郷を求める心があらわれている。

ここに住む人びとに呼びかけて、谷川雁のつくった雑誌「サークル村」は、九州を架空の村と見たてて、実験をおこした。二年ほどのあいだ、それは戦後にあざやかな軌跡を残した。

高度成長の時代に入ってからも、谷川雁の話を聞いていると、彼の指先に村が見えてくる気がした。

廃坑においても、彼は村のありうる状態を説き、退職者同盟をつくり、退職しているものの補償金をかちとった。しかし、その資金をもとに、共同性を現在に実現することはできなかった。東京に行くなと歌った彼は、東京に出てゆく。

炭坑におりてゆく体験は、谷川雁の想像力に方向感覚を残した。知識人に対しては大衆として、大衆に対しては知識人として向かい合うという、亀裂を飛びこえてたたかう姿勢は、やがて彼に、知識人読者むけに詩を書くことを断念させ、詩が成立する言語の底におりてゆく方向に彼をさそった。ここで彼はチョムスキーに共感をもつ。

詩が、自分のつくるそばから天ぷらのようにあがる時代に入ったから、もうやめると彼が言ったころ、それではこれから何をするかと尋ねると、何十年も黙っていて、忘れられたころにまた書く、今度は、能・狂言を書きたい、という返事だった。ついに能・狂言を書くにはいたらなかったが、晩年の彼は、東京滞在の期間のあと、黒姫に住むようになってから、子供の身ぶりをとおして宮澤賢治の夢幻劇の演出にうちこんだ。

断筆中に彼のしたことを二、三。

あるとき京大の文化祭に、谷川雁が講演に来た。別の会場で桑原武夫が講演する予定になっており、講師控室に入ったところ、むこうの隅に谷川雁らしき人物がおり（桑原と谷川はそれまで未見）、入ってきた桑原に一顧だにあたえず、九州から連れてきた弟子と話し込んでいた。

数日後、桑原は私に、あんなに無視されたことは生涯になかったと言って、むしろそれを楽しんでいた。こんなことを観察しているところが、桑原にはあった。ちなみに、このときの谷川の立会い演説の相手は私だった。

もうひとつ、このころ谷川は、ワーク・キャンプの学生たちにたちまじり、学生との会話を楽しみ、乞《こ》われるままに助言を与えていた。

学生たちは、奈良の大倭紫陽花村にハンセン病回復者の宿泊所をつくっていて、

それを伝え聞いた近所の反対派に取り囲まれた。そのとき偶然に谷川雁が近くにきていて、助言を求められた。学生は、
「みなさんの同意を得ないうちは、ここに宿泊所をつくりません」
と言って、それまで積み重ねていたブロックを、取り囲む人びとの前で壊した。それから夏ごとに、京大医学部教授西占貢《にしうらみつぐ》の意見書をもって、男女二人組で、反対者の家を戸別訪問し、ハンセン病が今では新薬プロミンによって回復し、後遺症が残っているとはいえ、伝染しないことを伝えた。そういう説得の手ごたえをお互いで確かめた上で、一挙に宿泊所をたてた。そのときには、前のように、取り囲む人びとはなかった。

一歩しりぞいて、しかしあきらめないという姿勢は、それまでの学生運動にはない。谷川雁の助言が、この道を切り開いた。

東京に行くなと詩に書いた谷川雁は、自らをうらぎって長く東京に滞在した。テックという会社をつくり、新しいソフトプログラムつきでテープレコーダーを使って、英語教育をはじめ、その会社の専務となった。

この運動を説明した言葉は耳に残っている。

ひとつのテープには、一回の録音だけで使い切れない余白がある。英語、もっとゆっくりききとれる英語、その文字どおりの日本語訳、もっとみがかれた日本語の呼吸をいかした日本語を、並行して同じテープに吹き込み、それぞれを交互にかけてゆっくり習得し、身振りを加えて共同の劇をする。そのための学習の機会は、暇のある主婦が自宅に子供を集めてつくる。その主婦が英文科出身であるかどうかは問わない。弟妹の多い中の長女を面接のときにえらぶ。長女は子供のときから弟や妹の世話に慣れていて、やかましさを苦にしない。なめらかな英語は、テープが伝える。子供はそれに口をあわせることで上達してゆく。いくつものパーティが集まって、近くの地域ごとに合同の発表会を開く。

つくられた英語テープをいくつか聞いた。なかでも「猫の王」には迫力があった。英語の仕事だけでなく、らくだこぶねと名乗って、子供にむかってお話もした。

会社やサークルと並行して、言語研究所をつくり、そこにノーム・チョムスキーを呼び、次の年にはローマン・ヤコブソンを呼んで、講演を開いた。どうしてこの人びとを選んだのかと尋ねると、自分には言語学の学問はないけれども、心理学で言うつりあい低能というものであって、言語学者の間で飛び交っているなかにいて、身ぶりで判定をつけるのだという。

チョムスキーは、ちがう言語の底に深層言語のはたらきがあると考え、その文法構造をとりだしてみせた。諸言語の境界をこえ、埋もれている人間の言語への道をさがしあてた。谷川雁が心にいだく、「影の越境」という主題とひびきあう仕事だ。ヤコブソンは、ロシアの詩の分析から出発して、国境をこえて渡り歩くところから、言語の音韻に敏感な反応をもつようになった。

しかし、さすがの谷川雁も、企業を保つにはむかず、会社から手をひいて黒姫の山中にこもった。

そこでも、自分の家の隣に少年少女のとまる宿をつくり、その宿泊費用を彼と少年少女とそれぞれとが折半するとりきめをして、さまざまの主題についての合宿討論をする塾を計画した。日本文化の遺産は、明治国家ではなく、村であり、現代人の底にうもれている共同性を掘り起こすことを、晩年の自分の目的とした。

地方性をもたない世界性のゆくさきはどうなるのか。

それが彼の抱き続けた問題だった。

彼の活動は、敗北につぐ敗北だったが、その敗北の続くなかに、ひとつの方向が見える。

会うたびに、いつも彼は威張っていた。だがそれを彼は自分の弱点とひそかに感じていたようだ。

「僕から威張ることをとり去ってしまったら、何も残らないんだよ」

と私にではなく、ともに暮らした森崎和江には言っていたそうだ。

あるとき彼に、

「谷川さんは一番だっただろう」

と尋ねると、めずらしく顔をあからめて横をむいて、

「田舎の学校だったからね」

と答えた。死後刊行された『北がなければ日本は三角』（河出書房新社）を見ると、彼は首席で級長だった。この級長の足をすくったのが、かの少女であり、その出した問題が、戦後日本に対するとき、彼の頂門の一針となった。

彼と最後に会ったのは、戦後についての座談（「文藝」）だった。そこで彼は、はじめに用意していた戦後の鉄路の上の糞尿《ふんにょう》の山のことを持ち出して、序説とした。

（「潮」二〇〇〇年九月号）

⑫もうろく帖―抄―

一九九五年

八月二四日

I am nothing. What I have achieved is not worth recollection.
そう感じる時、その空しさの感覚の上にたって計略をめぐらして人を殺そうとするだろうか。

オウム教教祖に対する私の消化の悪さは、そこにおちつく。

一九九六年

七月二二日

A stroke of god.　その一撃によって、私の生は、白紙にもどる。そのイメージは私にとって、いやなものではない。

一〇月一六日

I am no one's teacher.

一〇月一九日

親父との無茶な対立秋灯《あきとも》し

（新潟の人から私へ。はじめの五句と七句は私の作、終りの五句のみ、新潟のその読者から加えてこうしたもの。これで大きい風景になった。）

一九九八年
一月八日
もうろくを自覚し
もうろくのうしろにかくれる。

六月一一日
七十五年は、あっという間《ま》。
一日は、ゆっくり。

二〇〇一年
一一月八日
歩いても歩いても
まだ先がある。

一二月一七日

状況歌

国民の都《みやこ》東京は
日本の知識人を包む
高く立て日の丸を
ゴッド・ブレス・アメリカ

二〇〇二年
一月二七日

人間はいてもいいが、
いるとしたら、
理屈をつけて
殺しあわない
ほうがいい。

五月八日

来るものはこばまず

去るものは追わず
半世紀かけて来たこの双聯を高齢によっておろす。これからは、最後の一行のみ。

一二月二八日
わからないことを
わからないまま
はなしつづける
たのしさ

二〇〇五年
三月二三日
はじめも
おわりも
ないとすればどうか。

二〇〇六年

二月一五日
あたらしくおぼえた英語
Philogyny　女好き
Misogyny　女ぎらい
Misogamy　結婚ぎらい
Misology　議論ぎらい、理論ぎらい。
自分にあてはまるのは、最終のみ。
五月二八日
もうろくをとおして
心にとどまるものを
信頼する。
もうろくは濾過器。
一二月二一日
過去にいた人も
今いる人も
区別なく。

二〇〇八年

三月一四日

自分をかたい点と思うと、この点を去ることが悲しい。

自分を通ってゆく道と考えれば、別の感じがあらわれる。

自分の子を、自分の妻をそれぞれ道として見る。

一〇月一二日

母の写真を見る。

かつてあれほど私に怒ったこの人の表情がやわらいでいる。こういうことがあってよいものか。彼女の死後五十年。


（『KAWADE道の手帖　鶴見俊輔　いつも新しい思想家』河出書房新社、二〇〇八年）

⑬ゲーリー・スナイダー

仏教を考えるとき、私の心に浮かぶのは、日本の僧侶ではない。

子どものころから、日本の坊さんが、親類の葬式でお経を読むのを聞いていた。中国との戦争が始まってから、戦争を良いものとする発言を聞くことが多く、いやになった。キリスト教についてもおなじく、強い嫌悪感をもった。

クームラスワミの仏陀伝を読み、その講演を聞いてから、別の見方があることを知った。

ベトナム戦争中に、日本を訪れたベトナムの僧侶ティック・ナット・ハーンの話を聞くことがあり、彼がアメリカとの戦争の中で北ベトナムの側に立ちながら、自分が支持できるような政府はないと言うのを聞いて、そのさめている心にひかれた。北ベトナム勝利の後に、彼はフランスに居を移した。

ゲーリー・スナイダーに出会ったのも、そのころである。

そのころスナイダーは、京都のＹＭＣＡで英語を教えて暮らしをたてており、モーターバイクに乗って往復していた。ときどき道で会って、話をした。

私は、ベトナム戦争から脱走した兵士を助けており、彼らに住む場所を用意し、その場所を次々に移していく計画をたてていた。この計画に協力する若い人はたくさんいて、ただ働きを辞さなかった。この仕事は、大きな組織から援助をうけることなく、自前の運動だった。

ある時、脱走兵を私は世話できない日があった。私たちのところに来た最初の人たちだったので、まだこちらの受け入れの手はずが整っていなかった。いつものような立ち話で、半日、引き受けてくれないかと頼むと、気軽にいいよと返事をくれた。当日、彼は、若い二人のアメリカ人を奈良に連れていって、世界最大の木造建築東大寺を見せた。その帰りに、小さな飲み屋に連れていくと、ナマコの酢の物が出た。ためらっている二人に、
「これくらい食べられないと、日本で隠れて暮らすのはむずかしい」
と説いて、二人に決心させた。この二人は、やがて、つてがあって、シベリア経由でスウェーデンに逃れたから、ナマコ修行は、その大旅行のトバクチにあたる。

脱走兵が増えていくにつれて、かくまうことは、重荷になってきた。

そのころ京都国際会館で、ベトナム反戦運動の国際会議を開いた。義侠心を出したのは、自民党系の元京都市長高山義三で、彼が会場を貸す決心をしたのは、要請した代表が、桑原武夫、奈良本辰也、松田道雄の三人だったからだろう。特に、桑原武夫の役割が大きかった。

だが、倹約するとしても、この会議をまかなう費用で苦しんだ。京大病院わきの、入院患者の親族の泊まる宿屋に、若者頭の鈴木正穂《まさほ》（現京都市議会議員）が泊まり込んで、そこに、ただ働きグループがたむろして事務にあたった。

それにしても、東西のただ働きグループは、この会議におわれて、脱走兵の世話を同時にすることはむずかしい。ひとつ、思いつきがあって、私はスナイダーを訪ねた。この会議のあいだ、スナイダーが出かけていく離島に、脱走兵を連れていってくれないか、という頼みだった。

しばらく考えて、彼は承諾した。妻のマサさんが日本国籍なので、この件で追及されると、アメリカ入国に差しつかえるかもしれないという事情からだった。ただ働きグループから二人ついていくことにした。那須正尚と阿奈井文彦である。この二人は、スナイダーと行を共にすることで、大きい影響を彼から受けた。

引き受けてすぐ、彼は別のことを言った。

「今夜、良質のＬＳＤが手に入るが、それを試してみないか」

これは、論理の問題ではない。しかし私は、自分が困難な問題をもってきて、引き受けてもらったのだから、相手のもちだしたもう一つの可能性を引き受けようと思った。

大きな枕があり、これは私には、邯鄲《かんたん》の枕と思えた。やがて薬が効いてきて、私は足が立たなくなった。しかし、心は浮遊し、部屋の中を動いている。

スナイダーの借りている一階は大きく、二階は、戦争中に外務省でタイピストとして勤めていた日本人女性が一人で住んでいた。近くに民家はなく、相当の物音がしても怪しまれない。

部屋は広く大きく、本箱もない。山岳仏教について書かれた大きな中国語の本が隅においてあるばかりだ。スナイダーは、日本の家屋を、日本人の理想にそって、なるべく物をおかない空《から》の空間として使っていた。

どこかに、収納の場所はあるのだろう。いつか来たときに、茶道で使う茶碗で炊き込みご飯を供されたことがあった。この茶碗は、と尋ねると、亡くなった老師の記念にもらったという。その転用に禅機を感じた。

そのうちに、自分が竹の節の中に閉じ込められたように感じた。小さくて狭いところで、のどがいがらっぽい。そのうちに、ぽんと音がして、竹の節がぬけ、その向こうには何もなかった。

そうだろうと、これまでも思っていたのだが、実際に、この存在の向こうには何もないのだ。

急に笑いがこみ上げてきた。部屋の隅に座っている導師が、はるかかなたと私に感じられるところから、

「その笑いは、何の笑いか」

と問いかけてくる。私は答えない。すると彼は、自分で自分の問いに答える。

「それは、神々の笑いだろう」

それから彼は、自分の書いた散文を朗読した。それは、この部屋の隅々までひびく見事な声だった。


私は、十五、六のころ、コンコードの学校で、古い英語の詩の朗読を何度か教室で聞いた。スナイダーの朗読は、私の知っているものとは違う、異言語によって鍛えられた英語の読み方だった。私の身につけた英語が、半世紀を超えた今では、おじいさんの英語の朗読であり、老いたる道化のように感じられる。

ずっと後になって、谷川俊太郎が、僕が詩を朗読することに踏み切ったのは、スナイダーの朗読を聞いてからだ、というのが納得できた。妙な機縁から、彼を導師として薬を服用したのは、私にとって重大な体験となった。

スナイダーは言った。

「これは、体には悪い。しかし、もう一度、日の光がさす野原で、これを服用すると、世界が新しく見える。つぎのまに寝床を用意しておいた。そこに曼陀羅《まんだら》を掛けておいた。まだ薬の影響が残っているうちにそれを見ると、仏が動いて見える」

ようやく動けるようになったので、立って便所にいくと、朝顔に小便が走っていくのが見えて、自分の体が見えない。何もないところから、小便が走って壺の中に入っていく。自分は無く、行動の結果のみが、小便のように世界に、しばらく残る。

寝床に入って曼陀羅を見ながら考えた。のどはまだ、いがらっぽい。窒息しなくてよかった。

次の朝、スナイダーは、コーヒーを自分でたててくれた。夏の朝、縁側に立って庭を見ていると、キリギリスが一匹向こうにいた。すると、自分がキリギリスの中に入って、そこから自分を見ている。

スナイダーの家を出て、しばらく歩くあいだも、この体験は残っており、四十年たった今も私の中にある。

この薬は、どのようにも使える。オウム真理教は、信者にこの薬を与えて、その自我をつぶして自分の教理に従わせ、殺人を自発的におこなうところに導いた。

私にとって、導師がスナイダーであることは、仕合わせだった。彼は言う。
「この体験を超えると、今までしてきた運動に今までのように打ち込めなくなるかも知れない。自分のしていることが小さい意味しかもたないように見えるので」

スナイダーは何年も日本に滞在して、大徳寺で座りつづけた。日本の仏教をよいものとして受け入れていたのではない。いつか批判を書くとも言っていたが、書いた形跡はない。入矢義高《いりやよしたか》の寒山詩の注解に感心していた。日本の仏教からスナイダーのとりだしたものは、寒山詩と宮澤賢治であり、両方について彼には英語訳があって、それらはスナイダーの詩集に入っている。

入矢義高は、日本の禅宗を受け継ぐ人ではなく、中国の馬祖道一《ばそどういつ》の禅を受け継ぐ。馬祖道一は、高齢になっても、只管打坐《しかんたざ》をくずさず、座る目的は、固定しやすい世俗的な自分の中に、たえず新しく「迷人」を掘り起こすことにあると述べた。入矢義高は、日本人の中では前田利鎌《とがま》の『宗教的人間』（岩波書店　一九三二年）を高く評価し、この人の『臨済・荘子』（岩波書店　一九九〇年）に解説を書いた。

スナイダーは、人間の原型に帰ろうとした。あらわれた人間は、やがて亡《ほろ》びる。

その両端を心において、ここに生きる。ということは、アメリカにおいて、白人のつくりあげた文明を受け入れることよりも、もっと早くここにあった先住民族の神話・民話・寓話を大切にすることにつらなる。

詩集『亀の島』（山口書店　一九九一年）の序文をひく。

この詩集の作品は、ヨーロッパ、アフリカ、ラテンアメリカ、アジアなどから来たアメリカ人の住む〝亀の島〟の未来の可能性に捧げられている。彼らがこの〝亀の島〟の大地を、場を敬愛し、学ぶ日がくるように望みながら。たとえ合衆国がその土地をだめにし、古代からの森を切り倒し、水圏を毒まみれにしたとしても、私たちとその子孫がきたるべき数千年の未来にわたって、この土地に住み続けたいと望むのは当然のこと。これは日本、東南アジアまたブラジルにも妥当する。私たちは住み続ける。その私たちが、なぜ未来をだめにしつつあるのか。その原因の一部は、政治的経済的絵空事にすぎない短命な国家を、合衆国や日本を永久のものと見なすからだ。真実の相は、〝亀の島〟であり、〝ヤポネシア〟。今こそ最も古い文化の伝統に戻るべき時。アフリカ、アジア、ヨーロッパそれぞれの〝根の国〟からこの大地と場を敬愛するよう学ぶ時。

そうすれば〝亀の島〟で、また宝石の島々つながる日本で、この惑星地球に共に生きることになる。（ナナオ・サカキ訳）

（「潮」二〇〇二年三月号）

後書

鶴見俊輔、生誕百年。本書はその記念として上梓される。ついては出版にいたる経緯をここに一言しておく。これがなぜか思いだされず長い時間、筐底に置かれていた稿であったこと。そのあたりをめぐって少し説明の要ありとするからである。

一九九九年、故岡田幸文が主宰編集する季刊詩誌「midnight press」（秋・五号）。対談・谷川俊太郎×正津勉。これが口開け機縁だった。それでときにどんな話の流れでそうなったのか。

それはその次回（冬・六号）からである。谷川・正津を聞き手にしたてて、ゲストを招き今日の詩に関わる問題を伺うという、鼎談連載を行う弾みとなった。いやこれがなんとも二〇〇六年（春・三一号）までつづくことに。しかしなんでまた、岡田さんがこちらごときを起用、しようとしたものか。

主・谷川。脇・正津。はじめからはっきりと当方は位置と役割をきめてのぞんだ。だからまあ気楽といえば気楽でいられた。ゲストさんの選考からなにからなにまで、もっぱらお二人さんにおんぶにだっこ。こちらはまったく口を挟んだことはない。

そうしてその席ではただ相槌を打っているか、まるで「赤べコ」みたい、ときどき要をえない横槍を入れるぐらい。だがただ一度だけど、こちらからゲストにどうかと、あげた名前があった。

それがそう、鶴見俊輔、なのである。二〇〇三年の夏・二〇号と秋・二一号。いやなんともはや二〇年前になろうとはだが……。

それはそうだ、その春刊の『もうろくの春　鶴見俊輔詩集』（編集グループSURE）に心震えた、だからである。ほんとう、正直、びっくり。ここにはあるいは長らく隘路に入った今日の詩に風穴を開ける鍵があるのではないか。そんな、いまこのときこそ「もうろくの春」をのぞむべきでは、なんて。早速、提案すると谷川、岡田ともに納得、賛成。

鶴見俊輔。当方、じつは最後の同志社大学鶴見ゼミ生だった。先生、ずっとひそかに詩を書いてこられた！　そうしてきょう世に問われようとは！

いったいそもそもその哲学と詩の関係はいかがなぐあいか？　いやもっとより広く思想と文学の関わりについて？

母愛子と、渡米体験は……。俊輔坊の、心的疾患は……。うんぬん、そのあたりの心のありようを伺いたいものだ、などなど。みなみなさんと車中わいわい、がやがや京都へまいりました。

なんと三四年ぶりの（註、先生は三九年と発言されているが、じつは先生とは卒業後の一九六九年に会っている。だがあえて本文中では訂正しなかった）再会！　先生八〇歳、生徒五七歳。このときもう開口一番おっしゃった。「きみはあれだよね、ほとんど授業に出なかったが、つよく印象に残っている、へんだったからね」

のっけからのこのお言葉におぼえず「へんな生徒」はわらってしまった。頭を掻いて、ぺろりと、舌を出して。かえしていうならば鶴見さんこそが「へんな先生」であったからだ。

それはさてとしてお読みになられたとおり。鶴見さんはというと、わたしらの問いに繰り返しユーモレスクなるクリティックを交え噛んで含めるように、返答してくださった。それをきくにつけ浮かんでくるのであった。

どういったらわかるか。「へんな先生」の講義に、まるで「赤べコ」みたい、「へんな生徒」が耳傾け、うなずくというしだい。まったくそれはそうだ、その昔のゼミとおなじ「出鱈目の鱈目の鱈」みたいなおかしい話ぶり、そっくりであったよし。

あんな「へんな先生」さん、良いあんばい。なんやほんまええ感じ「もうろくの春」をやっておられる。だって「へんな生徒」は、思うのだった。

鶴見俊輔、生誕百年。できのよくなかった「へんな生徒」に何事かできることはないか。そこで思い出されたのが筐底の稿だった。あらためて目を通しかさねて読むほどに思いをつよくした。これをこのまま眠らせて置いてはいけない。すぐさま谷川さんに相談してみると、まったくの同意見であった。というしだいでこの稿が日の目を見ることになった。

「歌学の力」と。岡田さんが初出誌にそう表題された。透徹の目だ。ここには鶴見俊輔が長年にわたって、詩に込めてきた深い思いのほど、あまさず存分に吐露披歴されている。できうるなら多くの方の手に取られたくある。

出版に際し、作品社・増子信一氏にたいへんご尽力をいただいた。ここに礼を申し上げます。

二〇二二・五

正津勉

[初出]「歌学の力」
季刊　詩の雑誌　midnight pres　二〇／二一号（二〇〇三年夏／秋）

装幀　水戸部功
装画　やべみつのり
写真　野口賢一郎

鶴見俊輔（つるみ・しゅんすけ）
一九二二―二〇一五。東京生まれ。哲学者。東京高等師範附属小学校卒業後、十代で渡米し、四二年、ハーヴァード大学哲学科卒業。同年、日米交換船で帰国後、海軍バタビア在勤武官府に軍属として勤務。四六年、都留重人、鶴見和子、丸山眞男らとともに雑誌『思想の科学』を創刊。六〇年、市民グループ「声なき声の会」を創設、六五年、ベ平連に参加。京都大学助教授、東京工業大学助教授、同志社大学教授を経て、七〇年代以降は教職に就かず、在野の哲学者として過ごす。主な著書に、『鶴見俊輔集』（全十二巻・続五巻）、『鶴見俊輔座談』（全十巻）、『鶴見俊輔全詩集』など。

谷川俊太郎（たにかわ・しゅんたろう）
一九三一年東京生まれ。詩人。第一詩集『二十億光年の孤独』（一九五二年）の刊行以降、詩と並行して絵本、翻訳、脚本等、ジャンルを超えて活躍。『日々の地図』（読売文学賞）、『シャガールと木の葉』（毎日芸術賞）、『詩に就いて』（三好達治賞）など、著書多数。近著に絵本『ぼく』（合田里美絵）、『谷川俊太郎詩集』（にほんの詩集シリーズ）『言葉の還る場所で――谷川俊太郎・俵万智対談集』がある。

正津勉（しょうづ・べん）
一九四五年福井県生まれ。詩人・文筆家。詩集に、『惨事』（国文社）『正津勉詩集』（思潮社）『奥越奥話』（アーツアンドクラフツ）、小説に『笑いかわせみ』『河童芋銭』（河出書房新社）、評伝に『忘れられた俳人　河東碧梧桐』（平凡社新書）『乞食路通』『つげ義春――「ガロ」時代』『つげ義春――「無能の人」考』など。

鶴見俊輔、詩を語る　聞き手：谷川俊太郎・正津勉

二〇二二年八月一〇日 初版第一刷印刷
二〇二二年八月一五日 初版第一刷発行

著者　鶴見俊輔　谷川俊太郎　正津勉

発行者　青木誠也
発行所　株式会社作品社
〒一〇二―〇〇七二 東京都千代田区飯田橋二―七―四
電話 〇三―三二六二―九七五三／FAX 〇三―三二六二―九七五七
振替口座 〇〇一六〇―三―二七一八三
https://www.sakuhinsha.com
本文組版　有限会社一企画
印刷・製本　中央精版印刷株式会社
ISBN978-4-86182-922-2 C0095 Printed in Japan